KB067194

NEW 서울대 선정 인문고전 60선

07

정약용 **목민심서**

NEW 서울대 선정 인문 고전 ❼
만화 정약용 목민심서

개정 1판 1쇄 발행 | 2019. 8. 21
개정 1판 3쇄 발행 | 2024. 3. 20

곽은우 글 | 조명원 그림 | 손영운 기획

발행처 김영사 | 발행인 박강휘
등록번호 제 406-2003-036호 | 등록일자 1979. 5. 17.
주소 경기도 파주시 문발로 197 (우10881)
전화 마케팅부 031-955-3100 | 편집부 031-955-3113~20 | 팩스 031-955-3111

값은 표지에 있습니다.
ISBN 978-89-349-9432-9
ISBN 978-89-349-9425-1 (세트)

좋은 독자가 좋은 책을 만듭니다. 김영사는 독자 여러분의 의견에 항상 귀 기울이고 있습니다.
전자우편 book@gimmyoung.com | 홈페이지 www.gimmyoungjr.com

이 도서의 국립중앙도서관 출판예정도서목록(CIP)은 서지정보유통지원시스템 홈페이지(http://seoji.nl.go.kr)와
국가자료종합목록시스템(http://www.nl.go.kr/kolisnet)에서 이용하실 수 있습니다. (CIP제어번호 : CIP2018042470)

어린이제품 안전특별법에 의한 표시사항

제품명 도서 제조년월일 2024년 3월 20일 제조사명 김영사 주소 10881 경기도 파주시 문발로 197
전화번호 031-955-3100 제조국명 대한민국 ⚠주의 책 모서리에 찍히거나 책장에 베이지 않게 조심하세요.

미래의 글로벌 리더들이 꼭 읽어야 할 인문고전을 만화로 만나다

주니어김영사

| 기획에 부쳐 |

〈NEW 서울대 선정 인문고전60〉이 국민 만화책이 되기를 바라며

제가 대여섯 살 때 동네 골목 어귀에 어린이들에게 만화책을 빌려주는 좌판 만화 대여소가 있었습니다. 땅바닥에 두터운 검정 비닐을 깔고 그 위에 아이들이 좋아하는 만화책을 늘어놓았는데, 1원을 내면 낡은 만화책 한 권을 빌릴 수 있었지요. 저는 그곳에서 만화책을 보면서 한글을 깨쳤고 책과의 인연을 맺었습니다.

초등학교 때는 용돈을 아껴서 책을 사서 읽었고, 중학교 때는 학교 도서 반장을 맡아 도서관에서 매일 밤 10시까지 있으면서 참 많은 책을 읽었습니다. 그 무렵 헤밍웨이의 《노인과 바다》를 손에 땀을 쥐며 읽으면서 인생에 대해 고민했고, 헤르만 헤세의 《수레바퀴 아래서》를 읽으며 사춘기의 심란한 마음을 달랬습니다. 김래성의 《청춘 극장》을 밤새워 읽는 바람에 다음 날 치르는 중간고사를 망치기도 했습니다.

당시 저의 꿈은 아주 큰 도서관을 운영하는 사람이 되어 온종일 책을 보면서 책을 쓰는 작가가 되는 것이었습니다. 나이가 들고 어느 정도 바라는 꿈을 이루었습니다. 큰 도서관은 아니지만 적당한 크기의 서점을 운영하고, 글을 쓰는 작가가 되었거든요. 저는 여기에 새로운 꿈을 하나 더 보탰습니다. 그것은 즐거운 마음과 힘찬 꿈을 가지게 해 주고, 나아가 자기 성찰을 도와주는 좋은 만화책을 만드는 일이었습니다. 이렇게 해서 만든 책이 바로 〈서울대 선정 인문고전〉입니다. 서울대학교 교수님들이 신입생과 청소년들이 꼭 읽어야 할 책으로 추천한 도서들 중에서 따로 60권을 골라 만화로 만든 것입니다. 인류 지성사의 금자탑이라고 할 수 있는 고전을 보기 편하고 이해하기 쉽도록 만화책으로 만드는 일은 쉬운 일은 아니었습니다. 약 4년 동안에 수십 명의 학교 선생님들과 전공 학자들이 원서의 내용을 정확하게 전달할 수 있도록 밑글을 쓰고, 수십 명의 만화가들이 고민에 고민을 거듭하면서 만화를 그려 60권의 책을 만들었습니다.

〈서울대 선정 인문고전〉이 완간되었을 무렵에 우리나라에 인문학 읽기 열풍이 불기 시작했습니다. 〈서울대 선정 인문고전〉은 인문학 열풍을 널리 퍼뜨리는 데 한몫을 하면서 독자들의 뜨거운 사랑과 관심을 받았습니다. 덕분에 지금까지 수백만 권이 팔리는 베스트셀러가 되었습니다. 그 사랑에 조금이나마 보답을 하기 위해 《칸트의 실천이성 비판》, 《미셸 푸코의 지식의 고고학》, 《이이의 성학집요》 등 우리가 꼭 읽어야 할 동서양의 고전 10권을 추가하여 만화로 만들었습니다.

〈서울대 선정 인문고전〉은 어린이와 청소년이 부모님과 함께 봐도 좋을 만화책입니다. 국민 배우, 국민 가수가 있듯이 〈서울대 선정 인문고전〉이 '국민 만화책'이 되길 큰마음으로 바랍니다.

손영운

백성을 잘 다스리는 것이 목민이다.

'아름다운 이 땅에, 금수강산에' 로 시작해서 '역사는 흐른다' 로 끝나는 〈한국을 빛낸 100명의 위인들〉이란 노래의 4절을 보면 '목민심서 정약용' 이 나옵니다. 이름만으로도 유명한 우리나라의 고전이라고 할 수 있는 책이 바로 《목민심서》입니다.

《목민심서》는 베트남의 민족 운동가이자 민주공화국 초대 대통령인 '호치민' 이 평상시에 가슴에 품고 다녔다는 책이기도 해서 유명세를 탔습니다. 무덤에 유물로 남겨 있다, 아니다 논란이 되기도 했지만 국부(國父)로 칭송받는 호치민 주석의 청렴결백함과 민중 사랑이 한마디로 표현해 《목민심서》의 내용이었기에 이런 소문이 퍼진 것입니다. 우리나라의 역대 대통령들도 《목민심서》의 정신을 계승했다 하고, 베트남에서는 정책교과서로 삼았다고 하는 이 책은 지금도 지도자 양성 연수에서 빠지지 않는 교육 자료이기도 합니다.

도대체 어떤 내용이라서 이토록 사랑을 받고 있는 걸까요? 《목민심서》는 정약용이 18년간의 귀양살이를 하면서 집필한 책으로, 각 지역에 부임한 고을 수령이 마음에 새기고, 지켜야 할 일을 모아 48권 16책으로 남겼습니다. 방대한 분량만큼이나 해박한 지식을 골고루 갖추고 있는 이 책에서는 '목민관(牧民官)' 이 백성을 다스리는 작은 왕과 같다고 합니다. '다스리다' 는 것은 군림하는 게 아니라 '정성껏 보살핀다' 는 의미입니다.

그러기 위해서는 백성들의 생활을 세심히 관찰하고, 그들의 문제를 알아야 합니다. 백

성들이 천연두로 고생하면 그것을 치료해 주어야 하고, 세금제도로 고통을 겪고 있다면 토지제도를 개혁해야 하고, 성을 짓기 위한 부역으로 고통받고 있다면 과학기구를 제작할 줄 알아야 하는, 만능 팔방미인이 바로 진정한 지도자인 것입니다. 실제로 정약용은 천연두의 예방과 치료법을 담은 《마과회통》이라는 책을 썼고, 공동 노동과 공동 분배를 원칙으로 하는 토지개혁론인 '여전제'를 주장했으며, 7개의 도르래를 이용한 '거중기'를 개발하는 등 실천으로 옮긴 행정사상가라고 할 수 있습니다.

고등학교에서 수업을 하면서 '정약용'을 많은 책을 쓴 사상가로만 알았던 무지함을 벗겨 준 것이 《목민심서》였습니다. 그의 정신을 실학이라는 철학으로 만나게 했고, 조선 후기의 생활을 역사로 만나게 했던 《목민심서》는 교사로서 학생을 대할 때도 '실천으로 옮기라.'는 묵언의 가르침을 주었습니다. '사랑과 애정으로 백성을 돌보라.'라고 말하는 《목민심서》는 제게 '사랑으로 학생을 보살피라.'는 가르침으로 다가옵니다. 지금도 많은 사람들에게 사랑받는 이유가 바로 그의 백성을 사랑하는 마음과 청렴함 때문일 겁니다. 여러분 중에 교사나 공무원, 경영지도자를 꿈꾸는 분이라면 빨리 첫 페이지를 넘겨보시기 바랍니다. 감동과 함께 교훈을 가져 갈 수 있을 겁니다.

곽은우

인간적인, 너무나 인간적인 것에 대하여

흔히 사람들은 다산 정약용을 이렇게 말하곤 합니다. '자하 도인(紫霞道人)' 이라고요. 문장과 경학(經學)에 뛰어난 학자, 유형원과 이익 등의 실학사상을 집대성한 학자 그리고 시인, 과학자, 서학(천주교)까지 다재다능한 분이라고 말이죠.

물론 하나도 틀린 말이 아닙니다. 하지만 저 개인적으로는 인간적인, 너무나 인간적인 정약용의 모습을 좋아했습니다. 학자이기 전에 한 가정의 아버지였고 그 전에 아들이었으며 또한 한 여인에게는 가슴 시린 사랑이었을 지아비 정약용.

당쟁의 시대에선 불운했지만 죽어서 그 빛이 더욱 강했던 정약용의 생애를 그릴 수 있는 것이 저에게는 행운이라 생각하며 최대한 한국적인 이미지를 살리려 노력하였고, 누구나 편한 마음으로 가슴에 와 닿는 순수한 그림이 되도록 노력하였습니다.

인기리에 방영됐던 드라마 〈이산〉을 보면서 왠지 반갑고 친근하게 느껴졌습니다. 이산은 정조의 또 다른 이름으로, 정약용을 매우 아껴준, 약용과 뗄 수 없는 관계에 있는 왕입니다. 정약용은 정조의 지원을 받으며 수원성을 쌓고 거중기를 만들고 실학을 연구하는 등 활발한 활동을 했습니다.

나랏일을 책임지고 수행하는 대통령과 그 정부를 돕기도 하고 감시도 하는 국회의원 그리고 국민의 실생활을 바로 옆에서 듣고 보살피는 지방자치단체 의원, 또 행정을 맡은 지방 관

리와 공무원 들이 실천해야 할 일을 요약해서 정리한 책이 바로 《목민심서》가 아닐까 생각됩니다.

지방 관리들과 국가공무원, 재벌 그리고 정치하는 당의 폐해는 조선시대나 지금 현재나 마찬가지겠지요. 지방 관리들이 폐해를 없애고 지방 행정의 쇄신을 위해 옛 지방 관리들의 잘못된 사례를 들어 백성을 잘 다스리도록 그 도리를 설명한 《목민심서》. 미래에 꿈이 많은 우리 학생들에게는 어떤 길이 유용하고 의미 있는 길인지, 같이 《목민심서》의 길로 여행을 시작해볼까요! 자, 출발~!

조명원

| 차 례 |

제1장
《목민심서》는 어떤 책일까?

우리나라 고전 중에 가장 많이 읽히는 책은 뭘까?
옥단춘전
창선감의록
박씨부인전
이춘풍전
옹고집전

글쎄, 고전은 한자도 많고 읽기도 어려운데 그런 책이 정말 있을까?
어려워요.

고전이 지금도 의미가 있으려면 여러 가지 배울 것도 있어야겠지만
와! 자식이 정말 많네.
흥부전

현대에도 여전히 유용해야 하겠지?
고전

정말 그런 책이 있단 말이지?
도대체 어떤 책이죠?

그건 바로 조선시대 정약용이 쓴 《목민심서》야.
목민심서
정약용

목민심서(牧民心書)는 무슨 뜻일까?
또 목민의 '목'은 무슨 뜻일까?
牧
네 정체는 뭐냐?

목민의 목(牧)자는 목축(牧畜)이나 목동(牧童)에 들어가는 '목'자랑 같아.

여기서 목은 '기르다.'라는 뜻으로, '기를 양(養)'과 비슷하게 쓰인단다.

따라서 목민이라고 하면 '백성을 기르다, 성장시키다.'라는 뜻으로 이해하면 되겠지.

그런데 왜 심서(心書)일까? 그건 당시의 정치적 상황을 보면 알 수 있어. 조선 후기는 당파 싸움이 심했는데 정약용도 여기에 휘말려…
우리 당으로 오슈!
우리 당은 벼슬이 기본.
A붕당
B붕당

귀양을 가야 했어.
백성들을 잘 보살펴야 하는데….

그래서 정약용은 백성을 직접 다스릴 수는 없지만
목민관

목민관이 가져야 할 마음가짐과 할 일을 이 책에 담았기 때문에 마음 심(心)자를 써서 심서라고 한 거야.
항상 백성을 생각해야 한다.
심서

직접 나서지 못하는 정약용의 안타까운 마음이 목민심서 곳곳에 담겨 있단다.

집에서 기르는 강아지도 주인이 어떤 사람이냐에 따라 평생이 달라지잖아.
왈왈
너는 내 운명!

하루에도 몇 번씩 주인에게 안기며 온갖 사치품으로 치장되어 귀족처럼 대접받는 개가 있는 반면,
짐이 곧 왕이니라, 하하.

밥 주는 것조차 잊어버리는 주인을 만나 하루종일 굶는 개가 있지.
와구·쩝·· 와구
너는 정말 주인을 잘 만났구나.
꼬르륵

또 매일 집만 지키면서 주인에게 툭하면 얻어맞는 개도 있어.
이놈!
깨갱

어떤 주인을 만나느냐에 따라 개의 운명이 결정되는 거지.

하물며 짐승도 주인이 어떤 마음을 먹고, 어떻게 해주느냐가 중요한데, 사람은 더 말할 나위가 없지.
정말요?
분유
우유

어린아이도 부모가 어떻게 보살피느냐에 따라 인생이 풍요로워지기도 하고 비참해지기도 하잖아.

정치도 마찬가지야. 정치인이 정치를 할 때에도 국민을 자기 가족 돌보듯이 하면
힘드시죠? 제가 모셔다 드릴게요.

어떤 국민이 그 정치인을 싫어할 수 있겠니?
제가 할 일 인데요, 뭐.

춥고 배고플 때 보살펴주고, 재해(가뭄, 수해)를 당했을 때 도와줄 뿐만 아니라
먹을 거다!
구호품

미리 재난을 막아주는 등
재난방지
캑!

백성을 사랑으로 보살핀다는 신념으로 정치를 해야만
조심하세요, 어르신.
벌써 선거철이여?

백성의 생활이 윤택해지고, 나아가 나라가 부강해진다는 것이 바로
국가신임도

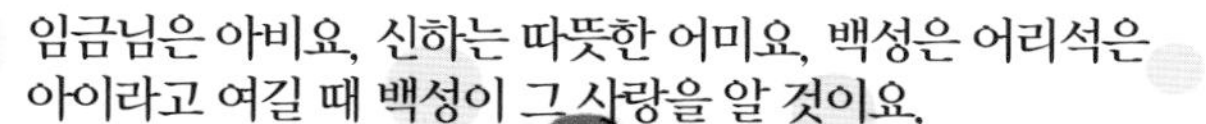

* **안민가** – 신라 경덕왕 때 승려 충담사가 국가적 위기를 타개하고자 지은 노래로, 서정적이기보다 전달 동기가 강한 교훈성을 띠는 작품.

임금은 군림하고 신하는 임금을 받들고 백성은 조세를 바치는 존재가 아니라,
명령
소작료
후들
후들

임금은 아버지처럼 백성을 살피고 신하는 어머니처럼 백성에게 사랑을 주어야만 백성이 나라를 떠나지 않게 되고,
축 백일

이로써 백성이 나라에 세금을 내게 되어
국가

그 세금으로 나라가 운영됨으로써 국가가 부강해지고 태평해진다는 거야.
뚝!
딱!
백성들이 편하게 건너도록 해야지.

그런데 위정자들이 당쟁에만 신경 쓰고 나라 살림에는 나 몰라라 하는 모습을 보고
으르릉
권력
국가
경제

정약용이 '목민'의 정신을 다시 새기고자 이 책을 쓴 거지.

정치권과 재벌의 잘못된 만남, 뇌물 받는 공무원, 대통령의 친인척 비리…
내 것도 많다.
비리
정치자금
재벌
이거 버리는 거 맞죠?

인사권자를 향한 아첨, 공문서 위조, 기밀 문서의 유출 등 뉴스에서 매일 터지는 공무원 비리는 조선시대에도 있었겠지.
와르르…
아첨
비리
뇌물
청탁
비자금
누출
위조

시대를 막론하고 그런 일들이 생기는 건 어쩔 수 없는 현실인 것 같아.
권력
돈
모두가 탐난다.

이런 일들이 조선 후기에는 더욱 극심했단다.

임진왜란과 병자호란으로 삶의 터전이 폐허가 되고

농사 지을 장정들이 전쟁에 나가 죽거나 부상을 당해 농업 생산량이 예전만 못하게 되었지.
농사를 지어도 수확이 없으니.
훌쩍!

그러다 보니 세금을 낼 수도 없고 부역을 할 수도 없어 나라 살림이 더욱 어려워졌지.
이게 전부예요.

그래서 임금은 관리들에게 세금 독촉을 더욱 강하게 하고
책임량 완수!

관리들은 폭력과 비리를 통해서라도 세금을 받아내려 하니 백성들은 이를 견디다 못해
탈세
횡령
끙..

도적 떼가 되거나 유랑민이 되어 떠돌이 삶을 살게 되었지.
다내놔!
히익!

조선 전기에는 지주가 5%, 소작농이 25%, 자작농이 70% 정도였으나
지주 5%
소작농 25%
자작농 70%

조선 후기 정약용이 다시 조사해 보니

전라도 농가 100호 중 지주는 5호,
나는야 부~자!

자작농이 25호,
이랴!~

소작농이 70호라고 했대.
힘들게 농사 지어봤자 남는 거 하나 없구나.

* 성리학 – 중국 송(宋)대에 주희가 집대성한 학문으로, 인간의 심성과 우주의 원리 문제를 철학적으로 탐구하는 신유학.

그래서 《목민심서》에서는 목민관이 백성에게 어떤 존재가 되어야 하는지를 역설하고
흠

목민관의 도리와 목표 등을 이야기하고 있단다.

정약용은 백성을 사랑하는 마음으로 직접 목민관이 되어 정치를 하기도 했고
훌륭하신 분이다.

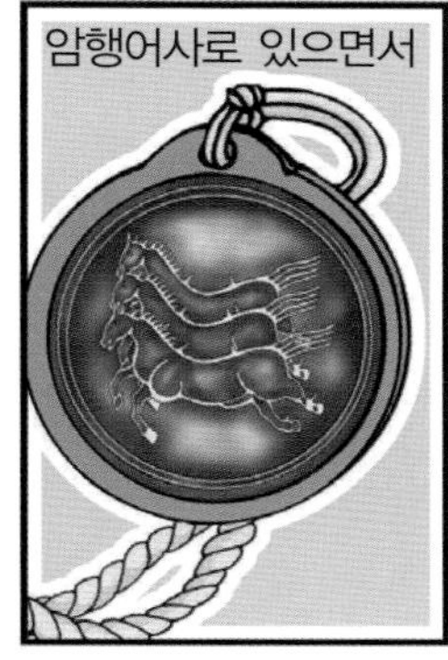
암행어사로 있으면서

악독한 관리를 벌주기도 하는 등 백성 사랑을 이론뿐 아니라 실천으로도 옮겼단다.
네 죄를 네가 알렸다.

하지만 안타깝게도 조선 후기 순조 임금이 다른 사람의 모함을 듣고

정약용을 전라도, 경상도 등지로 귀양을 보냈어.
이 일을 어찌 할고….

그래서 정약용은 가족과 생이별을 하고 타향살이를 하면서 일생을 마무리해야 했단다.

귀양 간 곳에서 관리들이 백성들을 어떻게 대하는지, 백성들의 애로사항은 무엇인지 등을 느끼고 관찰하고 생각하면서

'저러면 안 되는데' 하는 마음으로 자기가 직접 관리할 수 없는 역할들을 모아 정리한 게 이 책이야.
한 자 한 자에 정성을 담아 ….

보고 들은 것뿐만 아니라 중국 고전과 우리나라 사례집을 바탕으로
장자

1편 부임(赴任)에서는 목민관으로 부임할 때 어떻게 해야 하는지를 소개하고 있어.

*행장 – 여행할 때 쓰는 물건과 차림.

오히려 얕잡아 보일 수 있다는 사실을 잊지 말라고.
저런 정신없는 양반을 봤나!

2편 율기(律己)에서는 목민관 스스로 몸을 어떻게 다스려야 하는지에 대해 다루고 있어. 청렴결백을 강조하는 부분이지.

가족들을 법도에 맞게 잘 다스리도록 할 것과
자알… 자알…

술과 여자를 가까이하면 안 된다는 얘기도 잊지 않았지.
저희를 어찌 마다 하시어용~.

세상에 비밀이란 없다고 하면서

밤에 나눈 목민관과 손님의 말은

아침이면 집 안의 모든 사람들이 다 알게 된다는 이야기도 들어 있어.
키득… 키득…
중얼… 중얼…

'낮 말은 새가 듣고 밤 말은 쥐가 듣는다.' 는 말 알지?
아~ 무슨 말인지 알겠다.

권력이 있고 지위가 있는 사람일수록
으어험
권력

일거수 일투족이 온 천하에 알려지는 법이지.

세상에 비밀이란 없거든.
철컥

3편 봉공(奉公)에서는 임금의 명령을 받고 이를 받들 줄 알아야 한다고 씌어 있어.

성은이 망극하옵니다.

*아전 – 조선시대에 각 관아의 벼슬아치 밑에서 일을 보던 사람.

마을마다 전해 내려오는 관례에 의해서 일을 하다보니
전통
꼭 끌어안고 있자.

이리저리 고치고, 덜고, 보태지면서 개인적으로 자기 이익을 챙기는 부류가 생겨나고
삼베
토산물
동전
쌀

백성들은 더욱 괴롭게 되었지.
홀랑 벗겨 잡수슈.

4편은 애민(愛民)으로, 특히 노인과 어린이, 병든 사람들을 우대하라고 씌어 있어.

80세 이상되는 노인들을 뽑아 잔치에 초대하라고 했고, 80세 이상에게는 떡과 국 네 접시를, 90세 이상에게는 여섯 가지의 접시를 대접하고

100세 된 분에게는 목민관이 여덟 접시의 음식을 보내 집에서 대접하도록 했어.
당신 누구요?
흔들..
흔들..
하하.

수령들 중 술과 여자들을 불러 하룻밤을 즐기는 데 큰 돈을 쓰는 사람이 수두룩한데 그 반이라도 떼어 노인을 모시는 데에 써야 한다는 말이지.

이 책은 노인뿐 아니라 어린이에게도 각별한 애정을 담고 있단다.
으앙
변신로봇으로 사줘!

나라 살림이 어려워지고 백성들의 생활이 빈궁해지니 버려지는 아이들도 많았나 봐.
엄…마!

전쟁이나 기근으로 자식을 파는 사람도 있고
흑! 흑!

아이를 도랑에 버리는 사람도 있으며
으와앙
엄마

태어나자마자 부모가 죽고 먼 친척조차 없어 죽는 아이도 있고,

보릿고개라고 해서 5월생 아이들을 꺼리고 거두지 않아 생기는 고아들이 있었다고 해.
한 푼 줍쇼!
나도요.

그래서 남의 아이를 내 아이처럼 기를 것과

입양을 통하여 가문과 세대를 이어나갈 것을 권고하고 있지.
맹자 왈…
공자 왈…

또 재난을 구제하라고 마무리하며

목민관으로서 백성을 사랑하는 마음으로 매사를 대할 것과

백성의 어버이 같은 마음으로 그들을 불쌍히 여길 줄 알아야 함을 힘줘서 말하고 있어.
훌쩍
울면 선물 안 주지.

5편부터 10편까지는 이전, 호전, 예전, 병전, 형전, 공전으로 나누어
이전
호전
예전
병전
형전
공전

업무의 성격에 따라 인재 관리, 세금 관리, 제사와 교육, 군사, 죄인, 공공시설 관리 등을 세밀하게 구분하고 있지.
교육

백성을 사랑하는 생각과 여유를 즐기는 한가함만으로는
뭐지?
휭

목민관의 역할을 수행할 수 없음을 이야기하고 있어.
바쁘다 바빠.

아는 것을 실천하고 세밀하게 백성을 살피면서

넘치는 부분은 자르고 부족한 부분은 메워주는 부지런한 행동이 있어야
백성

진정한 목민관이 될 수 있다고 강조했어.
목민관은 할 일이 참 많도다.

말과 사상만 번듯하고 실제 행정 처리는 어둑한 선비가 나라 살림을 더욱 황폐화시킬 수 있다는 말은
이걸 어째….
바보~.

정약용이 아니면 하기 어려웠을 거야.
옳지 않은 것은 바로잡아야 함이지.

11편은 진황(賑荒)이라고 하여 흉년이 들었을 때 백성을 구제하는 일을 목민관이 맡아 지혜롭게 대처하도록 하고 있지.
우리 관아가 최고야.
관아창고

싼 이자로 종자와 양식을 빌려주고
양식
종자

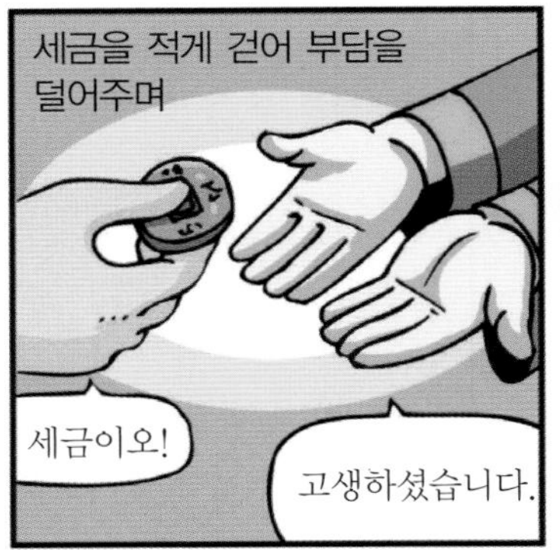
세금을 적게 걷어 부담을 덜어주며
세금이오!
고생하셨습니다.

세금을 못 냈다고 하더라도 형벌을 가볍게 하고
다음엔 세금을 꼭 내야지.

부역을 아예 면제해 주거나, 산과 들에서 백성들이 채소와 나물을 채취할 수 있게 하고

관리의 잔치를 줄이고 악기를 연주하는 잔치를 열지 말며
안돼!

돈이 없어 결혼 못하는 이들을 결혼시키고

기근이 들면 도둑이 되기 쉽기 때문에

배고픈 백성들을 잘 돌봐야 하지.
잘못했어요! 엉! 엉!

가난한 백성들을 가족처럼 여기지 않는다면 이들의 굶주림을 어찌 살필 수 있겠니?

백성들이 끼니를 거르는 걸 가슴 아파하고
딸각…
백성들이 굶거늘 어찌 넘어가리.

돈 있는 부자들에게 기부를 요청하고
불우이웃 돕기 성금

백성들에게 식량을 꾸어주고
쌀

그것을 갚을 수 있게 해주는
세심한 지혜가 잘 담겨 있단다.
쌀 대신
장작으로.

마지막 12편인 해관(解官)을 보면
제12편
해관

앞에 말한 모든 것을 다 하면 백성들이
가지 말라고 울면서

임금께 다시 목민관으로 오게
해 달라고 요청할 것이고
훌륭한
목민관이로다.
상소문

이러한 요청을 받는 자이어야만
목민관의 임무를 무사히
마쳤다고 할 수 있다고 했어.

뒷모습이 아름다운 사람이 바로
우리가 닮고 싶은 사람이지.

실제로 정약용은 젊어서 곡산
부사로 부임해
있을 때

백성들이 그의 해관을 못내
아쉬워하며 임금께 상소문을
올렸다고 해.
상소문

그리고 그가 천주교 가담으로 죽을
위기에 처했을 때도

곡산 부사로서 베푼 선정(善政)을
이유로 목숨을 잇게 되기도 했어.
석방

역시 노력한 만큼 사람들에게
인정받는 법인가 봐.
하늘을
우러러
한 점 부끄럼
없기를….

이렇게 보니 그 어려울 것만 같던 《목민심서》를 다 읽은 것 같네.
햐

1편부터 12편까지 한 번에 읽어보니 어때?
목민심서
정약용

목민관으로 임명받은 날부터 임기를 마치는 순간까지 목민관의 세세한 일들을 빠짐없이 기록했다는 걸 이젠 알겠지?
임명장
목민심서
정약용
휴
임무 완수

《목민심서》는 백성을 사랑하는 마음과 정확한 공공업무 처리능력을 강조하고 있어.

백성 사랑과 임금 사랑을 힘줘서 얘기하고 있는 것도 보이지?

또 인사관리, 세금제도, 부역제도, 형법제도, 군사제도, 예법제도, 시설관리, 빈민구제 등
하나라도 소홀히 해선 안 돼.

어느 것 하나 빠뜨리지 않고 목민관의 할 일이 적혀 있지.
오늘의 스케줄
오늘도 엄청 바쁘구나.

바로 이렇게 마을에서의 목민관은 작은 임금과 같은 존재야.
부끄…
부끄…
마마 감축하옵니다
고을 대장

모든 것을 다 살피는 그야말로 임금과도 같은 힘을 가진 존재이지.

이것 저것 능력을 잘 발휘해야 백성의 생활을 윤택하게 해줄 수 있거든.
와~아

마음만 가지고는 훌륭한 목민관이 될 수 없고
후, 힘들다.

일처리만 정확하게 해서는 훌륭한 목민관이 될 수 없다는 《목민심서》의 뜻을 잊지 말자고.

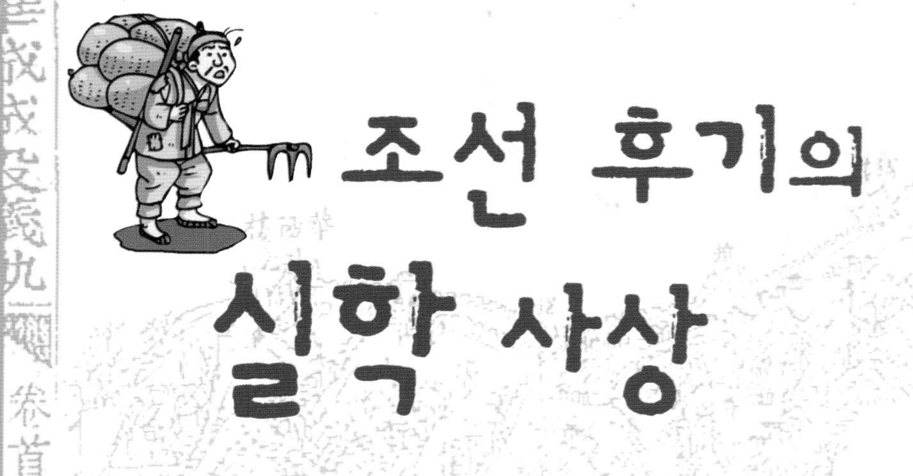

조선 후기의 실학 사상

조선시대 후기는 조선시대라는 이름으로 묶여 있을 뿐 상당히 많은 내부적 변화가 있었습니다. 그 변화의 주된 요인으로 꼽을 수 있는 것이 바로 임진왜란과 병자호란 등의 전쟁이었지요. 전쟁이라고 하는 위기 상황은 기존 정치, 사회, 경제 전반에 걸쳐서 뼈저린 반성을 하게 했고 개혁의 필요성을 느끼게 하였습니다. 전쟁은 백성들의 실생활을 더욱 어렵게 하였고, 이런 국면을 타개하기 위해서는 정치 지도층의 주도적인 개혁이 절실했었지요. 하지만 정권을 잡은 지배층은 가문과 문벌을 바탕으로 한 당파 싸움, 즉 당쟁(黨爭)으로 인해 안정적인 정치를 구현해 내지 못했습니다.

임진왜란의 한 장면

이러한 시대 상황 속에서 개혁의 움직임이 있었는데, 이를 주도한 무리들을 묶어서 '실학파'라고 합니다. 실학이라고 하면 실제, 실질적인 것을 연구하는 학문분야라고 해서 이렇게 이름 붙인 겁니다. 실제가 아닌 게 어디 있냐고요? 당시 유학자들은 실질적인 것들보다는 명분이나 유교 교리에 대한 이상적이고 윤리적인 분야에 대한 탐구만 이루어지고 있었으니, 이것과 분명히 달랐던 것입니다. 실학자로 묶였다고 해서 이들이 다 똑같은 분야의 연구를 했던 것은 아닙니다. 과학, 기술, 지리, 회화, 음악 등의 다양한 분야에서 실학의 정신을 가지고 연구한 신흥 학문 경향을 통틀어 말한다고 보는 것이 더 좋을 것입니다. 이들은 국내 학문뿐 아니라 중국에서 전래한 양명학과 고증학, 서양에서 전파된 천주교인 서학 등을 모두 긍정적으로 수용해 가며 실생활에 도움을 주는 것을 모두 받아들이려고 했습니다.

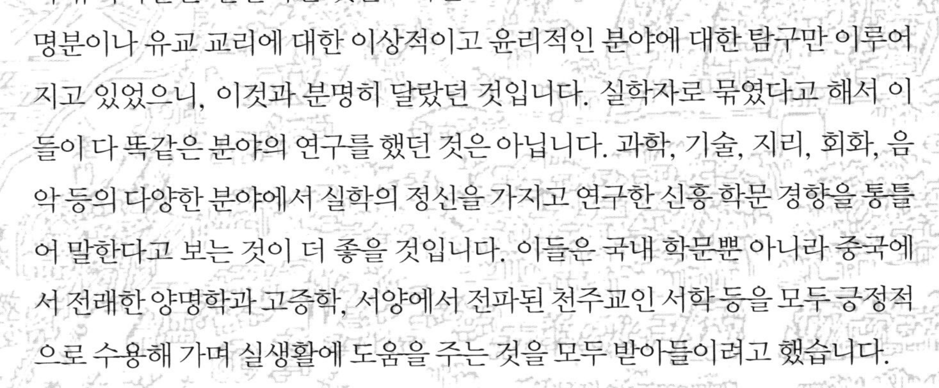

이렇게 조선 후기의 실학파가 형성되기까지에는 조선 후기 사회의 현실적 변화와 중국 주자학의 전통과 구별되는 양명학, 고증학 같은 새로운 학풍의 등장을 빼놓을 수 없습니다. 이러한 새로운 학문적 경향을 기존 학자들은 거부했지만, 젊은 실학파들은 긍정적으로 수용했기 때문에 학문을 대하는 기본적인 태도가 달랐다고 할 수 있지요. 조선시대 많은 유학자가 주자학(朱子學)의 철학 체계를 인정하지 않은 사람이 없지만, 실학파의 인물들은 도학의 정통성을 인정하는 바탕에서 도학파와는 다른 학문적 태도를 갖거나 더 나아가 현실적 한계를 깨닫고 현실의 문제에 비판을 제기하기 시작했습니다. 성리학의 논리적인 형식에 의존하기보다는 경험적이고 실용적인 것을 중시하며 철학적 기반을

다지기 시작한 것입니다.

실학파의 기본 입장은 사회 현실 문제를 해결하는 데 있었지요. 사고와 관념에 의한 학문이 아니라 현실 인식과 실용적인 요구에 따라 사고하고 이를 실험하면서, 경험적이고 구체적인 현실을 파악하려고 애썼던 것이지요. 실학파는 국가 사정이 어려운 이유가 무엇보다도 생활의 빈곤에 있다고 보았어요. 생산물의 증가가 백성의 생존과 국가의 존립에 필수적이라 보고, 적극적으로 이러한 생산성을 강조했지요.

주목할 만한 대표적인 실학자로는 이익, 박제가 그리고 정약용이 있습니다. 실학을 집대성한 이익(1681~1763)은 과거 공부만 하면서 경제적인 문제를 천시하며 평생 놀고먹는 양반들을 비판했습니다. 박제가(1750~1805)는 농업에 힘쓰려면 유학자들을 혁신시키고 중국의 문물을 받아들이자고 주장했고, 정약용(1762~1836)은 놀고먹는 선비를 농업, 공업, 상업에 종사시켜야 한다고 제의하기도 했답니다. 조선 후기의 이러한 학문적 변화는 조선을 중세 봉건사회에서 근대사회로 변화시킬 수 있었던 거대한 원동력이 됐다는 의미를 갖습니다.

제2장 다산 정약용, 그는 누구인가?

5남 5녀 가운데 넷째라니, 와! 형제가 정말 많지?
와글…
바글…

그때는 양반들이 부인을 여럿 둘 수 있었기 때문에 가능한 일이었어.
에~헴!

정약용의 아버지도 부인이 셋이었단다.
좀… 쑥스럽구먼.

약용은 형제들이 많아서 어릴 때부터 형들의 글공부를 어깨너머로 배울 수 있었단다.
맹자왈…
자왈…

약용은 노는 것뿐 아니라, 붓을 들고 글자 쓰는 것을 흉내내기도 하는 등
명필이로다.

글 읽기와 쓰기에도 관심을 보였어.
글

7세 때는 아버지 친구들이 오셨는데 "작은 산이 큰 산을 가리니, 거리의 멀고 가까운 이치로다."라는 시를 읊어서

그 자리에 있던 사람들이 깜짝 놀랐다고 해.

우리는 7세 때 무엇을 했을까?
탁

약용이 9세 때는 슬픈 일이 생겼어. 병석에 계시던 어머니가 돌아가셨지.

어린 나이에 큰 상처를 견뎌야 했으니,
불쌍하지?
딸랑
딸랑…

약용은 어머니가 생각날 때면 마을 앞
강으로 나가 생각에 잠겼고,

그때 생각한 것을 글로
옮겼다고 해.

역시 슬픔을 이기고 나서야 큰사람이
될 수 있나 봐.

어머니가 돌아가신 다음 해에
아버지가 지방 목민관으로
나갔다가 돌아오셔서

약용 형제를 몸소 가르치기
시작하셨지.

약용이 10세 때는 평상시에
지어 두었던 시들을 묶어 시집을
만들었어.
시집
정약용

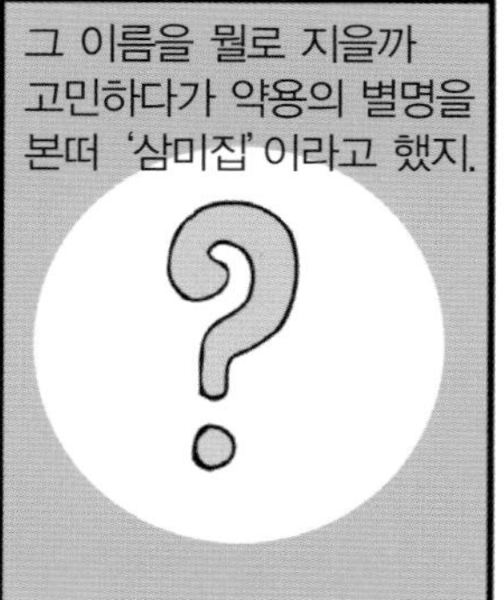
그 이름을 뭘로 지을까
고민하다가 약용의 별명을
본떠 '삼미집'이라고 했지.

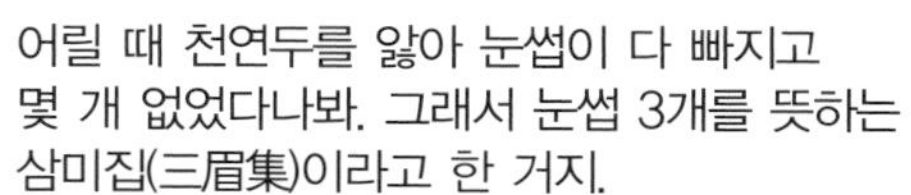
어릴 때 천연두를 앓아 눈썹이 다 빠지고
몇 개 없었다나봐. 그래서 눈썹 3개를 뜻하는
삼미집(三眉集)이라고 한 거지.

히히히…
3개래.

지금은 숯검댕 눈썹이 유행인데, 약용이
지금 태어났다면 고생 좀 했겠지?
승현
오빠!

책 읽기를 좋아하던
약용은

외할머니 댁으로 책을 빌리러
다녔는데

*윤선도[尹善道] 1587~1671 – 조선 중기의 문신, 시인. 복서, 음양, 지리에 능통하였으며 시조에 뛰어나 정철과 더불어 가사 문학의 대가로 꼽힌다.

약용이 15세 때 정조가 왕이 되었어. 정조는 조선시대 전성기를 이룩한 훌륭한 임금으로 칭송받고 있는 분이지.
탕평책 실시
규장각
정치기구 육성
장용영 설치 (친위부대)
초계문신 제도 (문신 재교육)
수원성 축조

그는 문예를 사랑하고 정치의 공평성을 기했던 임금이기도 해.
열린정치

바로 이때 약용은 홍화보의 딸과 결혼했어.
함

15세면 너무 빠른 것 같지? 하지만 당시에는 다들 이렇게 일찍 결혼했단다.

착하고 예쁜 아내였지.

그때부터 약용은 실학에 관한 책을 읽기 시작했어.

특히 이익의 《성호사설》을 읽고 감명을 받아 후에 실학자의 길을 가는 데 많은 영향을 받았지.
성호사설

직접 만나본 적은 없지만 정약용의 인생에 가장 큰 영향을 준 스승이라고 할 수 있지.
책이야말로 훌륭한 스승이지.

*동학[東學] – 1860년(철종11) 경주 사람 최제우가 창시한 조선 후기의 대표적 신종교.

*예문관 – 조선시대 칙령(勅令)과 교명(敎命)을 기록하는 일을 맡아보던 관청.

한편, 약용이 31세 때는 영의정의 추천으로 수원성 쌓는 일을 맡았는데, 1792년에 시작하여 3년 만에 완성했단다. 여기서 약용은 성 쌓는 일에 대한 과학적 이론을 검토하고 실용화했어.

바로 그게 정약용의 발명품인 '거중기'야. 거중기는 도르래의 원리를 이용한 기계로, 약용은 이를 사용하여 성을 쌓을 때 힘을 덜 들이고 수원성을 완성할 수 있었어.

과학적인 건축 기술의 도입으로 예전보다 7년이라는 시간을 단축하였고
드디어 완성했다.

수원성은 일반 백성이 아닌 건축 노동자만으로 완성한 역사적 건축물이 된 거야.
집에 가서 쉬세요!

정약용의 백성 사랑이 경제 절약, 노동 절약, 시간 절약으로 실천된 거라고 볼 수 있지.

약용이 황해도 곡산의 부사로 갔을 때 일이야.
우와! 진짜 시골이다.

산골이라 원래 가난하게 살기도 했지만, 지방 목민관들은 일을 잘하려는 생각보다는 더 좋은 자리를 찾아 떠날 생각만 했대.
이랴! 지겨운 촌동네 빨리 뜨자!
두두두

그렇지만 약용은 부임한 첫날부터
고을 구석구석을 살펴 문제점을 찾고
이를 해결하려고 했지.
너… 혹시
문제 없니?

지난번 사또에게 행패를 부린
죄로 이계심이라는 사람이
끌려왔대.

정말
억울해요.

무슨 말이냐?

그동안 당한 억울함을 일일이 말로
할 수가 없어 곡산 백성을
괴롭히는 10가지 옳지 못한 점을
종이에 적어 왔습니다.

라고 하더래.
신관 사또께서
헤아려
주십시오.

죄인의 글을 읽지 않아도
그만이었을 텐데

정약용은 그 두루마리를 받아 조용한 곳에
가서 읽었고,

그 내용을 조사해 보니 모든 것이
사실이었어.
갈취
세금
탈세
비리

거기에 기록되어 있는
곡산현감의 횡포는
이랬어.
비리목록

그곳 관리들은 백성들로부터
세금으로 베를 거둘 때는
긴 자를 쓰고
도둑
놈.
거둘 때

정부에 세금을 바칠
때는 짧은 자를 썼대.
낼 때
아이고!
아까워.

그렇게 해서 남는 베는
전임 사또가 써버렸고.
꺼~억
잘
먹었다.

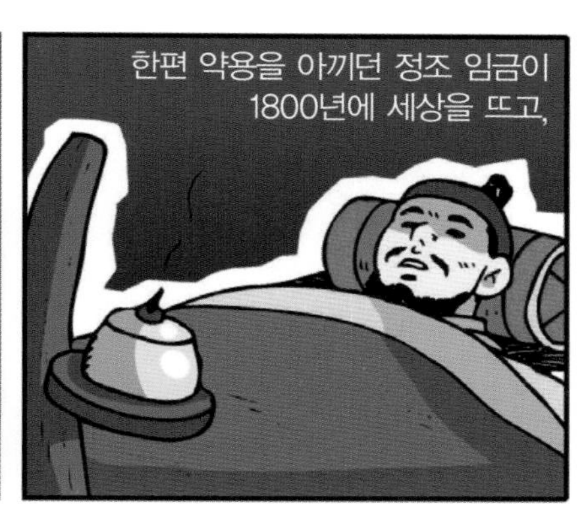

*수렴청정(垂簾聽政) – 어린 나이에 즉위한 왕을 도와 왕대비나 대왕대비가 정사를 돌보던 일을 말한다.

그리고 '황사영 백서* 사건'이라고 하여 정약용의 조카 사위인 황사영으로 인해

*황사영 백서 – 천주교 신자인 황사영이 1801년 신유박해가 일어나자 신앙의 자유를 얻고자 당시 베이징 주교에게 보내려던 청원서

제비가 황새와 뱀 때문에 머무를 곳이 없어 서러워하는 모습은 누굴 빗대어 표현한 것일까?

맞아. 바로 조선시대 백성들이야. 관리들의 세금 독촉, 부역 동원 등의 횡포를 못 이기고 유랑민으로 떠도는 조선 후기 백성들의 모습을 잘 담고 있지.

약용이 귀양지에서 지은 시 가운데 《보리타작》이란 시를 한번 볼까?
새로 거른 막걸리 젖빛처럼 뿌옇고
큰 사발에 보리밥, 높기가 한 자로세.
밥 먹자 도리깨 잡고 마당에 나서니
검게 탄 두 어깨 햇볕 받아 번쩍이네.
옹헤야 소리 내며 발 맞추어 두드리니
삽시간에 보리 낟알 온 마당에 가득하네.
주고받는 노랫가락 점점 높아지는데
보이느니 지붕 위에 보리티끌뿐이로다.
그 기색을 살펴보니 즐겁기 짝이 없어
마음이 몸의 노예 되지 않았네.
낙원이 먼 곳에 있는 게 아닌데
무엇하러 벼슬길에 헤매고 있으리오.

막걸리에 보리밥 먹고 어깨를 드러내고 노동하는 사람들의 모습이 흥겨워 보이지 않니?
벌컥..
벌컥..

따뜻하게 백성을 바라보는 것을 넘어 그들을 부러워하고 있는 양반 정약용을 엿볼 수 있지.

신분차이가 뚜렷한 조선시대에 서민을 부러워하는 양반은 정말 드문데 말이야.

노동에 대한 찬사와 더불어 양반들의 벼슬길이 덧없음을 노래하고 있는 이 시를 보면
쯧쯧….
으르렁

약용이 가지고 있는 '만인 평등 사상'도 엿볼 수 있어.
평등
우리는 똑같은 인간!

서민들의 소소한 행복을 부러운 시선으로 바라보며
어머니 아~!

양반들의 벼슬살이를 회의적으로 바라보는 것은
꿀꺽!
권력

정약용만의 백성사랑 방식이라고 할 수 있지.

뿐만 아니라 약용은 따뜻한 아버지의 모습을 보여 주기도 한단다.
아빠.
사랑

밖으로는 훌륭한 목민관의 마음을, 안으로는 따뜻한 아버지의 마음을 지녔다는 건
백성 사랑

고향에 있는 아들들과 주고받은 편지를 통해 알 수 있어.

아버지를 18년 동안이나 못 보는 자식들의 마음도 무척 슬펐겠지.
아버지… 흑흑….

하지만 어쩔 수 없는 아버지의 마음은 또 얼마나 간절했을까?

가장으로서 같이 지내지 못하는 미안함과

*폐족 – 조상이 큰 죄를 짓고 죽어
그 자손이 벼슬을 할 수 없게 된 족속

마침내 비천하고 더러운 신분으로
타락하고 말아
왜~앵~

아무도 가까이 하려 하지 않는다.
라고 씌어 있어.
에이~
드러…

폐족으로서 잘 처신하는 방법은
오직 독서하는 일, 한 가지밖에
없다는 내용이야.
가문을 다시
일으켜야 해.

자식을 옆에서 가르치지 못한
아비의 애틋한 정을 느낄 수 있지.

대학자인 아버지 정약용의 편지를 읽고
두 아들은 독서에 열중할 수밖에 없었어.
깨우침을
얻을 때까지
책을 읽자!

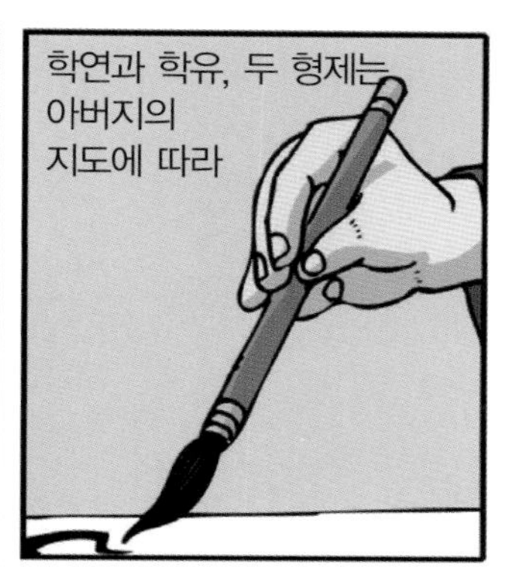
학연과 학유, 두 형제는
아버지의
지도에 따라

몇 대째 이어오는 가문의 전통을 이어 훌륭한 학자이자
문장가로 성장하게 되었단다.
찰칵!
쑥스럽네.
山
전시회

그 아버지에 그 아들이라는 말이 정말 맞는 거 같지?
금상
동상
은상
학연
약용
학유

약용은 전라도 강진의 초라한 초막에서
글을 읽으며

술과 차를 친구 삼아
남은 세월을 보냈어.

누구를 원망하거나 탓할 것도
없었지.

그러던 어느 날 젊은이 몇 명이 찾아와 스승이 되어 줄 것을 간청했어.

그랬더니 약용은
나는 죄인입니다. 죄인이 무슨 가르침을 주겠소.
이렇게 한마디로 거절했대.

하지만 사람들은 물러서지 않고 계속 졸랐지.
가르쳐 주세요.
네?
네?
네?

이 같은 일이 계속되자 동네 사람들의 청에 따라 조그만 방에 서당을 차리게 되었어.
자왈…

귀양살이를 하는 죄인의 몸이었기에 서당이라기보다는 조그만 글방일 뿐이라고 언제나 말했지.
글방
글방

언제 귀양살이에서 풀려날지 모르니 백성들을 위해

글이라도 가르치기로 다짐한 약용은 열심히 아이들에게 글을 가르쳤어.
자왈.
맹자왈.
공자왈.

동네 사람들에게는 백성으로서 할 일과 예의범절을 가르치고
앗! 그렇게 행동해야 좋은 거로군!

부모에게 효도하고 형제 간에 우애 있게 지내도록 설득했지.
할머니, 안녕하시어요!
나… 돈 없다!
달달…
꾸벅…

강진으로 내려온 8년째 되던 해에, 제자 윤단이 마련해 준 조그만 집으로 거처를 옮겼단다.

그 집은 다산이라는 산 밑에 있었는데,

* 경세유표(1817) – 관제(官制)개혁과 부국강병을 논한 책

* 흠흠심서(1822) – 형벌 일을 맡은 벼슬아치들이 유의할 점에 관한 내용으로 구성되어 있다.

정약용의 실학 사상

앞에서 조선 후기의 실학 사상에 대해 알아봤으니, 실학 사상 중 농업 중심의 개혁론을 바탕으로 한 다산 정약용의 구체적인 주장들을 자세히 알아볼까요? 생전에 많은 저서를 집필하였고 다방면에 걸친 학식을 보유한 천재 학자였기에 한두 마디로 정약용의 사상을 말하는 것은 쉬운 일이 아닙니다. 하지만 《목민심서》의 내용을 잘 살펴본다면 그의 실학 사상이 그 속에 녹아 내려져 있음을 알 수 있습니다.

경기도 남양주에 있는 정약용의 묘

정약용의 실학 사상에는 공자, 맹자의 유교 사상과 함께 실사구시, 이용후생 같은 경제학적 사고가 깔려 있습니다. 이것은 모두 다산 정약용이 민본주의를 기본으로 하고 있다는 의미이기도 합니다. 정약용은 백성이 통치자를 위하여 존재하는가, 통치자가 백성을 위해 존재하는가를 물은 후 통치자가 백성을 위해 존재하는 것임을 강조합니다. 또한 백성들이 직접 또는 간접 선출에 의하여 왕이 되었던 고대의 역사를 거론하면서 고대의 정치로 돌아가야 한다고 말했습니다. 즉 주인은 백성이라는 것과 백성을 위해 통치해야 한다는 것을 강조한 것이지요. 다만 현대 민주주의와 달리 백성이 직접 정치를 수행할 수 있다는

데까지 나아가지 못했지만 전통적인 유교 체제 안에서의 백성이 주인이 되어야 함을 역설했습니다.

또 정약용은 인간 평등사상에 입각하여 논의를 하고 있습니다. 조선 시대는 신분 계급이 명확하여 사농공상의 지위와 역할이 달랐던 시대라는 것을 감안한다면 그의 생각은 정말 파격적인 것입니다. 그는 선천적으로 똑같이 태어난다는 생각 아래 후천적으로 소인이나 대인의 기질이 형성된다는 인간론을 전개했습니다. 즉 후천적으로 도덕을 수양하면 주체적인 인간으로 성인의 기질이 만들어진다고 주장합니다. 태어날 때부터 '상민 따로, 양반 따로' 였던 시대였는데 후천적으로 이를 바꿀 수 있다는 그의 생각은 신분이나 지역적 차별 등을 반대하고, 능력에 의한 인재 등용론의 바탕이 되기도 했답니다.

또 정약용은 어려서부터 외국에서 들어온 과학 서적을 읽으며 과학적 세계관을 키워 갔습니다. 그리고 마침내 과학 기술의 발전을 통해 농업, 방직, 군사, 의료 기술 등에 혁신을 이루어 냈답니다. 정약용은 나라가 부강해지고 백성의 생활이 부유해지기 위해서는 무엇보다도 기술의 습득이 중요하다고 생각했지요. 이것은 생각에만 그치지 않고 직접적인 실천으로 이어졌습니다. 한강교를 직접 과학적으로 설계했고, 수원성을 만들 때는 거중기를 만들어 냈던 것입니다. 또 백성을 시름시름 앓게 했던 홍역과 천연두의 치료법을 연구하여 처방을 기록하고, 연구 실험도 했습니다.

정약용의 이러한 다양한 분야에 걸친 이용후생 정신은 백성의 생활과 국가를 위해 가장 중요한 것이라고 생각했기 때문에 가능한 것입니다. 인간의 근본적 욕구인 물질적 욕구를 충족시키기 위해서는 모든 국민이 생산에 참여하고, 그것을 평등하게 배분해야 한다는 주장도 바로 이러한 공리주의 정신과 인간 평등에 근본을 두고 있는 것입니다.

제 3 장
목민관이 부임할 때

우리도 한번 고을 수령으로 부임해 볼까?

도령이 임금께 부임장을 받으러 가는군.
척!
척!

임금은 어깨를 두드리며 김포의 수령으로 백성을 잘 다스리라며 격려해주지.
선정을….

도령은 굳은 의지로 임금의 뜻을 받들어 선정을 펼 것을 약속했어.
백성들을 위하여…

그런데 궁궐을 나오자마자 고관대작이 그 앞에 대기하고 있는 거야.
어흠!

어리둥절해서 쳐다보니,
웬일이세요?

하며 소매를 끌어
당기는 거야.
이거
왜 이러나?
다 알면서….
원래 다
이렇게
하는 거야.
턱
?

도령은 영문을 몰랐지.
그랬더니
앞으로
고을에
가서
백성의
피와 살을
뜯어먹을
텐데

고작 수백 냥이 아까워서
못 낸단 말인가?
하며 오히려 꾸짖지 않겠어?

어허 통탄할
일이로다.
정약용

잘 보게나!
임금께 충의를
약속하고
수령의 의지를
다지자마자
관례라고 하며
이렇게 명목없는 돈을
강요하다니!

상황이 이러한데 어찌 수령들이 부임해 가서
백성의 가난을 구제하고 청렴할 수 있으리오.
세금부터
내슈!
뺏긴
돈부터
찾아야지.
?

이는 백성의 돈을
수탈하는 것과 같소.

임금이 알아서 이를 금지해야겠지만
혼날 줄 알아!
관례금지

수령으로 나가는 사람도 전례에 따라 예사로 돈을
주게 되면 안 되오.
뇌물 안 줘?
NO

하며 분개했지.
꽁

아유,
창피해.

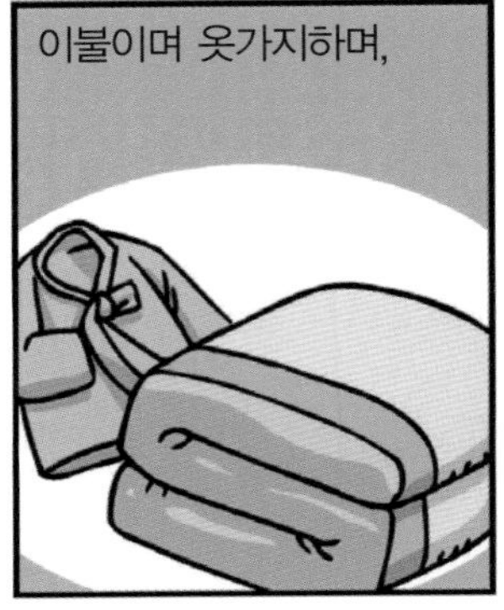

또한 수행 비서를 데리고
가는 사람도 있는데 그건
절대 안 될 일이네.

나,
돌쇠여.

또한 만약 자녀 하나가 간다고 하더라도

그 아이가 관아의 아전들과 하인들에게 절대 말을 건네서는 안 되게 해야 하네.
우리 사또님 자제분이시죠.
내가 누군지 알죠?

우연하게라도 말을 주고받으면
안다니 다행일세.

그건 다 수령 자신의 죄가 되네.
네~?

수령의 가족이 수령의 지위를 누리면 안 되는 것이지. 잊지 말게나.
어이쿠!
빵

그래서 도령은 가족과 떨어져 지내기로 했지.
조심해서 다녀오세요.

아내와 자식들과 헤어져 지내야 한다는 게 너무 외로워 보이지?
흑….

하지만 임금의 명령으로 고을 수령을 맡아 가는 것이니 그 말은 새겨들을 필요가 있어.
백성들을 먼저 생각하시오.

도령은 가족들의 짐은 빼고 혼자 갈 준비를 하지. 그러면서 수레에 실었던 책들도 빼냈어.
가벼워졌다!
간단하게 가져가야지.

그랬더니 다시 정약용이 나타나서
어허! 요즘 수령들은 공무지침서 한 권만 있으면 다 되는 줄 아는가 보군!

이래 가지고 선비라고 할 수 있겠는가?
부끄…

수령으로 가게 되면 돌아올 때 많은 재물과 뇌물을 가져올 수 있다는 생각에 책은 안 싣고 가는 것인가?
재물
뇌물
토산물
한몫 단단히 챙겼다.

책이 짐이라고 생각하니

그 마음으로 백성을 어떻게 다스리겠나?
귀찮아!
문제

동네 선비들이 와서 지혜를 묻는 일도 많고 과거 공부를 하는 사람에게는 글공부를 권장하기 위해서도 책이 필요한 법!
필승
장원
아하!

하물며 백성들에게 어려움이 생겼을 때도 이것저것 책을 찾아 보고 답변을 해야 하는 경우도 있다네.
설명
세금 정산
세금
월말 결산

그러니 책을 한 수레 싣고 가는 일은 절대 포기해서는 안 되네.

돌아오는 길에 그 마을의 토산물을 강제로 가져오지 말고
내일이면 이 고을을 떠나는구나.

가지고 간 한 수레의 책만 끌고 오면 청렴의 이름이 만방에 날릴 걸세.
정말 청렴한 수령이셨어.
달그닥.

그런데 이런 일이
있었어.

도령이 부임지로 출발하려고 하니 고을
아전들이 미리 나와
나으리~
잠깐만!

돈주머니를 주는 거야.
이게
웬 돈이오?
福

쇄마전이옵니다.

쇄마전이라고 하면 부임지로 갈 때
타고 갈 말값을 가리키는 말이지.

지금 말로 하면 '출장비' 라고
할 수 있어.
출장비

도령은 아무것도 모르고
그 돈을 옷소매에 넣었지.
슥

이때 정약용이 나타나 호통을 쳤어.
깜짝!
이를 미리 막지 못한자 그것이 바로 도둑놈이다!

쇄마는 '관용차량' 과 같은 거지.
공무수행

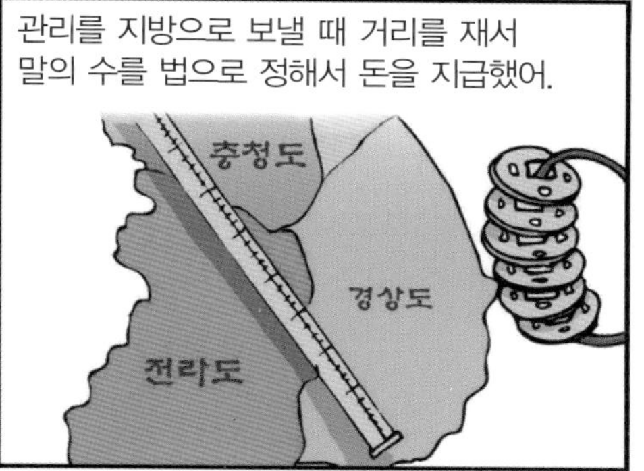
관리를 지방으로 보낼 때 거리를 재서
말의 수를 법으로 정해서 돈을 지급했어.
충청도
경상도
전라도

원래 쌀로 주다가 돈으로
대체하게 되었단다.
끙..
돈으로
주지.

400냥에서 300냥은 되는 돈이었지.

혹시 쇄마를 핑계로 수령이 백성을 침탈할까 염려하여
먼길 가는데 노잣돈 좀 주슈!

나라에서 쇄마전을 준 것이지.
국가공금

그런데 이제는 민간에게 거두니 이는 국비와 맞먹거나 심하면 갑절이 되기도 했어.
국비
쇄마전
휴, 어떻게 해야 하나….

이게 하나의 풍습이 되어 부끄럽게 여기는 자가 없으니 이는 다 수령의 허물이라 하시며 호통을 치시는 거야.
목민관 이란…
부끄..

그래서 수령은 지방으로 가기 전에 백성들에게 미리 공고하여
- 공 고 -
쇄마전은 국비로 지급되었으니 민가에 따로 거두지 마라.
라고 해야 하는 거래.

백성이 새 수령을 상상하고 기대하고 있을 때
?

이런 공고가 내려가면 환호성이 우뢰 같고 칭송하는 노래가 일어날 거야.
쇄마전은 없다!
와아
와

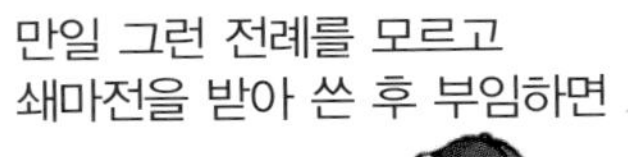
만일 그런 전례를 모르고 쇄마전을 받아 쓴 후 부임하면

괜히 먹었나?
쇄마전

나중에 백성들의 피 같은 귀한 돈이라는 것을 알고 후회해도 방도가 없는 거지.
아~ 저 원망의 눈빛들….

부임하기 전에 미리 알아야 할 것이 참 많군요.

약용은 이에 대해 충고했지.

나중에는 그 허물을 알아도 덮어 버리고 비리를 저지르는 보통의 목민관밖에 되지 못한다는 것을 염두에 두라고 했어.

도령은 마을로 출발하기에 앞서 긴장이 되었어.

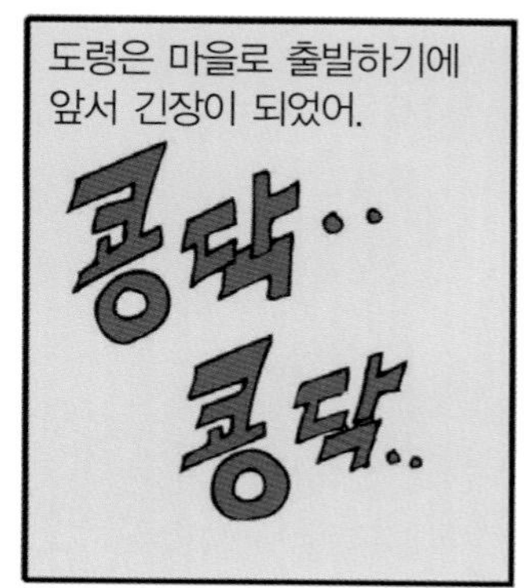

백성들에게 멋진 첫 인상을 주고 싶었기 때문이야.

곧 도령은 굳게 결심했어.

그러고나서 산뜻한 옷차림에 고운 갓을 쓰고 좋은 가죽 안장을 찬 날쌘 말을 타고 위풍당당하게 김포를 향해 걸어갔지. 거만해 보이면서 위엄을 갖춘, 그야말로 나무랄 데 없는 새 수령의 모습이었어.

저런…
쯧쯧….
그대는 이 고을로
부임해 오는 게
처음이지만

이 고을 백성들은 수많은 수령들을
만나 왔다네.
행차하는
모습만 봐도
수령을
알 수 있지.

자네가 사치스럽고 화려하게 하고 온다면 속으로
비웃을 걸세.
알 만하다
알 만해….

반면 검소한 차림은 사람들의 존경심을
불러일으키지.
두려운 분이
오시는구나.

사치스런 모습으로 아이들의
부러움을 얻을 수도 있겠지만,
훌쩍!
멋지다!

알 만한 지식인들은 천하게
여길 것이니 무슨
이익이 있겠는가?
쯧쯧….
한심한
수령
이로다.

맞아요, 이렇게
갖춰 입느라고 빚까지
지게 되었습니다.
빚은 빚대로 지고
남의 미움까지
살 뻔했으니, 정말
큰일 날 뻔했군요.

약용은 양산은 쓰되 하얀색으로는
쓰지 말며
검소한
검은색으로!

뚜껑 있는 가마에 푸른 휘장은
품계가 아주 높을 때만 사용하는
것이고

쌍마교는 임금만 타는 것인데
요즘은 수령들도 타려고 하니 그건
예가 지나친 거라 했지.

자, 그럼 부임지로 출발해 볼까?
김포

도령은 설레는 마음으로 말을 몰아 경쾌하게 달려갔어.
다그닥..
다그닥

마음은 벌써 김포에 가 있었지.

새벽에 일찍 일어나 아침 밥을 챙겨 먹고 출발했어. 길이 멀고 험하니 조심해서 가야 할 텐데 말이야.

수하들이 제대로 따라오는지 걱정이 들기도 했어.
탈탈!

길이 머니 밤중 행차도 마다하지 않고 강행군을 하고 있군.

길거리에서 밥을 먹어야 하니 양반체면에 불편하기가 이를 데 없구나.
쩝….

어허!

행차는 일찍하되 해가 뜨고 난 후에 출발하고

해가 지기 전에 말에서 내려 멈추었다가 가야 하는 것이다.

하지만 새 수령이 아랫사람들의 사정도 모르고 미리 약속도 없이
마음이 급하다.

불쑥 일찍 일어나 출발하자고 하면, 하인은 밥상을
받아 놓고도 먹지 못한 채 출발하기 일쑤라네.
출발!
이런….

하인들이 때맞춰 밥을
먹고 진짓상을 물리면

그 후에야 말에
올라타야 하느니라.

하인들은 이 말을 듣고 자신들의 사정을 알아주는
정약용에게 충심으로 감동을 받았어.
험.
충성!
눈물
난다.
비가
오려나?

백성을 생각하는 수령의 마음이 바로 이런 거지.
백성
부모의
마음

그리고 말을 빨리 몰지
말아야 하네.
?

말을 빨리 몰면 성질이 경박하고 조급해
보이기 때문이지.
이랴!
수령이라는
양반이…, 쯧쯧.

또 행차할 때 좁은 길이
구불구불하게 있어도 절대
뒤돌아보지 말아야 하네.

수령이 뒤돌아보면 말을 타고 있는 수하들이
진흙덩이에 구불구불한 낭떠러지라 해도 말에서 내려
고개를 숙여야 하기 때문이야.
후들
후들

그러니 돌아보지 말고 형세에 따라 외면하기도 하고,
하인들이 편히 움직일 수 있도록 해줘야 하네.
제발 돌아보지
마세요.

도중에 미처 몸을 굽히지 못한 수하들이 있어도
나무라지 말고 묵묵히 있어야 한다는 것도
잊지 말게나.
허리가
아파서.
괜찮다!

아하! 그렇군요. 저는 제 생각만
했어요. 제 마음 급한 것만
생각했나 봐요.

아까
반찬 투정을
하는 것
같던데….

헤헤… 여행길이라서 그런지
반찬도 입에 안 맞고
피곤해서 더
못 먹겠더라고요.

약용이 말하길,
부임지에 갈 때는
부임지

매일 세 끼의 반찬으로 국, 김치, 장
(된장, 고추장, 간장) 외에는 먹어서는
안 되느니라.

예전부터 행차할 때 먹는 반찬은
이 세 가지로 충분하다고 했으니
휴…
이게 전부야?

반찬의
가짓수가
늘지 않도록
세심히 당부
하거라.

네에! 정말요?
그걸로 어떻게 밥을 먹어요?
히잉
허허.

훌륭한 수령이라면 그렇게 해야 하지.

*권마성 – 말이나 가마가 지나갈 때 위세를 더하기 위하여 그 앞에서 하졸들이 목청을 길게 빼어 부르는 소리를 말한다

관리들이 행차할 때는 떠들썩하게
해선 안 되느니라.
고래..
고래..

이를 막기 위해서는
수하의 우두머리를 불러
왜요?

이렇게 말해야 하네.
나는
권마성을
싫어한다.

마을을
지날 때는
권마성을
한 번만 하고

고을을 들어가고 나올 때나
한 번씩만 해서 절대 세 번을
넘기지 마라.

세 번을 넘기면
네게 벌을 내리겠다.

이렇게
단단히
일러두어야
하네,
알겠나?
명심하겠습니다.

출발

김포로 가는 수십 신하와 말 들은 조용하고도 엄숙하게 길을 떠나고 있었어.

그런데 선비나 양반은
꾸벅...

권마성이 없어도 말에서 내려 수령의 행차를 보고 고개 숙여 인사를 했지.

조선시대에는 행차의 규모나

옷 색깔만 보고도 벼슬 위치를 알 수 있었나 봐!
험!

그런데 아무도 그 양반의 인사를 받아주지 않았어.
멀뚱…
멀뚱…

조금 무안했겠다. 그렇지?
험!
어험!
울 아버지를 무시해?!

그때 정약용이 또 나타나서,
어허! 진짜로 하나하나 일러줘야 하는군.

길에서 선비를 만났는데 그 선비가 나 때문에 말에서 내려 예의를 갖추는데도
또각.
또각.

수행하는 아전들이 말에서 내리지 않는다면 어찌 선비에 대한 예의를 갖췄다 하겠는가.
저런 몹쓸….

비록 걸어가는 자일지라도 그가 양반임이 분명하다면
험.

말에서 내리도록 명령해야 하느니라.
양반님… 꾸벅!
송구.

요즘 아전들은 날로 교만해져서
쳇! 귀찮아!

심지어는 조정의 관리나 명망 있는 선비가 수령을 만나 말에서 내릴 때에도 수행하는 아전들이 방자하게 말을 달리며 돌아보지 않으니
저런 고얀!

이를 수령이 감싸 줘서는 안 되는 거지.

이렇게 수하들이 방자하게 굴면 반드시 비방과 욕을 무더기로 듣게 되느니라.
비방
험담
욕

자기 식구를 더 단속해야 하는 법이지.
예
절

행차 3일째…

앞서 길을 안내하던 수하가 달려와서 보고했어.
수령님, 김포에 가까이 왔어요!

한 시간만 더 가면 됩니다.

어느새 도착했군.
김포

이미 날이
저물었으니
조금만 더 가서
하룻밤 묵어가세.

내일은 음력 초하룻날이
아니라서 길일(吉日)이
아닌데…
7월
3

내일 모래쯤 관아에
들어가는 게 어떨까?
동행한 수하들은 말도
못하고 서로 얼굴만
빤히 쳐다보고 마는군.
?

이런 이런
쯧쯧쯧,
부임하기도
전에 못된 짓만
배웠군!
척!
스승님!

부임하기 전날 밤에는 이웃 고을에서 자야 하는
것이네.
김포
이웃마을

행차 일행이 부임지의 고을에서 자면 그 부담은 고스란히
백성에게 가는 것이지.
허걱…
이 밤중에….

음식이며 잠잘 곳을 고을 백성이
어찌 소홀히 할 수
있겠나, 이 사람아!
지금 언제
이 많은 음식을
준비해?
쌀
부식
반찬
음식
끙

또한 날짜를
가려 부임
하다니!
그런 법이
어디 있나!

택일을 잘못해서 봉고파직 당하거나,
부패한 관리가 되는 것이 아니네.
파직!
깽!

행차에 동행한 아전들은 모두 집 생각에 마음이 초조한데, 길거리에서 시간을 허비하다니.
아빠!

좋은 날을 택하는 게 좋은가? 백성들의 원망을 얻는 게 좋은가?
많이 드슈!

무슨 이익을 바라고 부임을 연기하는고!
멋이오.

드디어 관아로 입성하는 전날 밤, 도령은 기쁨과 선정을 베풀 것에 대한 포부로

정약용과 더불어 술 한 잔을 나눴어.
졸. 졸..
스승님, 제가 뭘 더 알아야 하나요?

수령은 홀로 만백성 위에 우뚝 서서 간사한 아전들과 다투어야 하네.
툭
탁
퍽

옛날 제후들은 아비가 그 아들에게 지위를 물려 주었으니, 제후에게 죄를 지은 사람은 당연히 그 아들에게도 그 벌을 받았네.
내 아들에게 또!

그러나 오늘날 수령은 오래가야 2년, 그렇지 않으면 몇 달 만에 바뀌니, 마치 여관에 머무르는 손님 같은 존재가 되었지.
관청
임기끝

그러니 죄를 지어도 도피하였다가
튀자!
뇌물
공물
갈취

수령이 바뀌면 다시 나타나 부정을 일삼고 있으니, 그들이 무엇을 두려워하겠는가?
잘 봐주게!

잊지 말게나. 고을의 아전들을 철저하게 단속해야 하네.

도령은 막중한 책임감에 마음이 무거워져만 갔어.

조선시대의 청렴결백한 관리

1. 황희(黃喜) 1363~1452

정약용은 목민심서에서 바람직한 관리의 모습을 보여주고 있습니다. 그렇다면 그렇게 모범이 되는 조선의 관리에는 실제로 누가 있었을까요?

황희

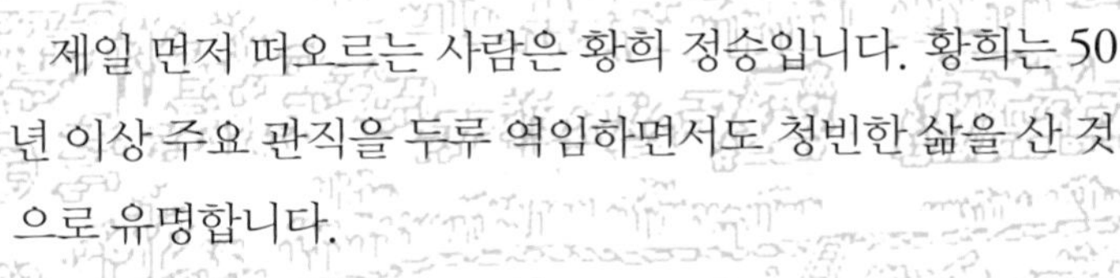

제일 먼저 떠오르는 사람은 황희 정승입니다. 황희는 50년 이상 주요 관직을 두루 역임하면서도 청빈한 삶을 산 것으로 유명합니다.

한번은 왕이었던 세종이 영의정으로 있던 황희의 집에 찾아왔습니다. 그때 황희는 저녁을 먹고 있었는데, 갑작스런 왕의 방문에 허겁지겁 상을 한쪽으로 물리고 국왕을 맞았습니다. 세종은 정승의 집이라고는 도저히 믿어지지 않는 초라한 모습에 놀라고 말았지요. 그런데 더 놀랍게도 방바닥에는 장판 대신 멍석이 펼쳐져 있는 게 아니겠어요! 또 먹다가 치워 놓은 밥상에는 누런 보리밥에 된장, 풋고추 너덧 개만 놓여 있었지요. 세종은 민망해하는 황희를 보고, "자네는 등이 가려워도 시원하게 긁을 수 있으니 좋겠소. 자리에 누워 비비기만 해도 될 테니까." 하고 농담을 하고는 돌아갔다고 합니다.

이때 사실 세종은 황희가 가진 것이 너무 없어 막내딸의 혼수를 장만하지 못하고 있다는 소문을 듣고 이를 확인하기 위해 황희의 집을 찾은 것이었지요. 황희의 검소함을 직접 보고 감동을 받은 세종은 손수 공주의 수준에 준하는 혼수를 황희의 집으로 보냈습니다. 그리고 이것은 이후 가난하여 결혼 준비를 하기가 어려운 관리들에게 국왕이 혼수를 내리는 것의 계기가 되었답니다.

반구정-황희가 관직에서 물러난 후 즐겨 찾았던 곳

황희는 녹봉의 대부분을 민생 구휼(救恤)을 위해 사용했다고 합니다. 황희는 경작지를 소유하지 못하고 떠돌아다니는 사람들을 정착시키고 안정시키는 정책에 신경을 썼고, 식량을 절약하기 위해 개를 키우지 않았다는 이야기도 전해지는 걸 보면 그의 청렴함을 짐작할 수 있겠지요?

제4장
목민관의 몸가짐

도령은 해가 뜨기 전 일찍 일어나
옷매무새를 단정히 하고

묵묵히 앉아 명상으로 하루 일과를
시작했어.

이제 목민관다워졌는걸!
씨-익

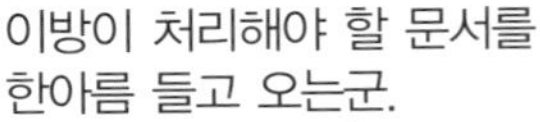
이방이 처리해야 할 문서를
한아름 들고 오는군.

끙..

문서를 방바닥에 드르르 내려 놓는데,
그 문서로 방이 한가득 차 버렸어.
어제 들어온
백성들의
상소문입니다요.
잘 봐주시고
해결해주십시오.
우르르..

도령은 눈이 휘둥그레질
수밖에 없었지.

두루마리를 풀어 읽어보니
그 내용이 그 내용이라
그게
그거네!

눈이 빠질 듯하고 허리도 아프고 하여,
이방을 들어오라고 했어.
아이고,
허리야.

네이놈! 이일을 나더러 다
하라는 거냐? 아침부터
나를 골탕
먹이는 거냐!
깜짝
이야!

도령이 호통을 치니, 옆에 있던 이방은
물론이거니와 관아에 있던 모든 아전, 하인들이
벌벌 떨 수밖에….
싹 치우지 못할까!

이때 약용이 나타나서
어허!
이렇게
경거망동할
줄이야.

수령은 말을
많이 하지도
말 것이며 갑자기
성을 내서도
안 되네.

윗사람의 동작 하나
말 한 마디는 다 백성들이
보고 듣는다네.
성질이 있어!
쯧쯧….

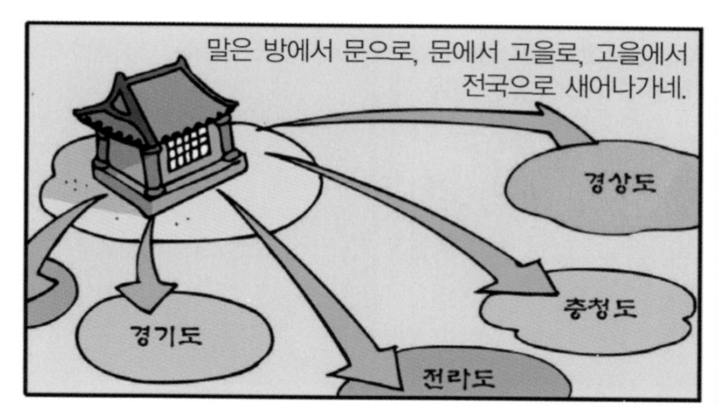
말은 방에서 문으로, 문에서 고을로, 고을에서
전국으로 새어나가네.
경상도
충청도
경기도
전라도

자네의 모든 행동은 관청 문 밖으로 새어나가게
되니 한마디 말도 조심하게.
관청
소문

반드시 양편의 의견을 다 듣고 그들을 대질시켜
본 후 처리해야지 가벼이 체포하거나 하면 안 되네.

'노즉수'라는 말을 깊이 새기게.

怒則囚

(노즉수)
: 성날 때는 가두라

사람들은 흔히 벼슬살이에는 권위와 사나움이 있어야 한다고 하지만 이는 다 속된 말이네.

아전들과 백성들은 어찌 알았는지,
도령에게 선물할 여러 음식을 장만했지.

백성들은 물고기, 오이, 호박, 밀가루,
기름 등을 가져왔어.
보리가
참기름

그런데 저기 보자기에
싸 둔 건 뭐지?

아무튼 고을의 최고 어른이니 선물도 많이 받고 잔치도 크게 열리겠지. 친구들, 친척들은 물론이고, 손님들도
굉장히 많이 오시고 말이야. 도령의 입이 귀까지 찢어지겠구나. 생전 처음 맞이하는 수령으로서의 생일잔치.
도령은 잔뜩 기대하는 마음으로 그날을 손꼽고 있는데…

스승님이 나타나셨지.
어~허! 백성들의 마음을 아는가, 모르는가?

지금 백성들은 가장 소중한 물건을 자네에게 바치고 있는 것이네.
네?
….
생일 선물

자네가 그 물건을 받아 버리면
선
물

백성들은 식량을 잃는 것이고 자네는 청렴이라는 보배를 잃는 것이네.
허탈해.
마음이 허전해.
청렴

둘 다 잃는 것인데 그것을 모르겠는가?

또 예로부터 지혜 있는 선비는 청렴을 보배로 삼고 탐욕을 경계하지 않은 사람이 없었네.
저리 가라.
탐욕
청렴

선비가 한 번 벼슬에 오르면 순식간에 부유해지니,
빨리 해 먹자!
부자
벼슬

과연 누구의 보물을 훔쳐 부자가 되는 것이겠는가?
백성 보물

자네가 지금 받아 놓는다면
뇌물
비단
선물

온 백성이 마음속으로 비웃을 것이네.
욕심쟁이
못된 사또

또한 이 물건들은

아전들이 온갖 방법을 동원해 거두어들인 것이라네.
모두가 원한이 밴 물건이지.
내놔!

제가 선물받은 걸 아무도 모를 텐데요?

떽!

자네에게 선물을 준 자가 알고
제 물건 잡수셨죠?

자네가 알고

그리고 하늘과 땅이 아는데
다 봤어.

어찌 아는 자가 없다고 말하는가?
죄송해요.

수령님!

마을 도적 떼 우두머리를 잡아왔습니다. 심문해 주세요.

죄인을 꿇어 앉혀라!

네가 도적질하던 상황을 말해 보라.

무엇을 도적질이라 하십니까?

네가 도적이면서 그것을 모른단 말이냐?

궤짝을 열어 재물을
훔치는 것을 도적질이라
한다. 이놈아!

그러자 도적이 웃으면서
사또님
말씀대로
라면 제가
어찌 도적
입니까?

사또님이
참 도적이지요.

밤낮 백성에게 베풀 생각은
안 하고
기회를
잘 잡아야 돼.

권력을 얻어 일확천금을 노리고 있는
사또들이 다 도적이지요.
헤헤…
백성의
땀과 피

관복을 입고 홀로 높은 곳에
앉아 계시니
권력은
좋은
것이야.

따르는 무리들이 다 하느님처럼 받듭니다.
잘 봐주세용!
강탈
뇌물

이 고을 최부자가 대낮에 살인을 했는데도
뇌물로 죄를 용서받은 걸 알고 계십니까?
무죄!
뇌물

이익을 따져 아랫사람을 임명하고

정치는 뇌물로 이루어지게 하고
뇌물

백성들에겐 중벌을 내려 돈으로
속죄하도록 하니
100년
일만 냥

이렇게 백성들의 돈 궤짝을 열어 재물을
훔치는 자가 진정 천하의 도적입죠.
퉤.
세금
유류세
공기세
기저귀세

이에 이방은 오이는 이 집에, 호박은 저 집에, 보자기는 그 집에 다 돌려주고 왔대.

그런데 주인을 모르는 선물은 돌려주지 못하고 밖에 걸어두고는

찾아가라고 방을 붙여 본보기로 삼았어.
주인을 찾습니다.
수령 백

이렇게 목민관의 지혜는 작은 데서부터 시작되는 거야.
사또님 최오!

백성들의 물건을 내 것처럼 소중히 여기는 거지.

선물을 한 번 받으면 사사로운 정을 나누게 되고 그러다 보면 나랏일을 공평하게 할 수 없단다.
거절.

청렴하되 덕이 부족한 사람은 선물을 되돌려 주거나, 자신의 월급을 떼서 남을 도울 때 큰소리로 '사대부가 어찌 이런 물건을 쓴단 말인가!' 라며 자신의 청렴함을 드러내기도 하지.
나는 관대하다!
관청
먹고살기 힘들지. 엉아가 도와 줄게!
놀래라.
요란하게도 도와주네.

그리고 백성에게나 손님에게 항상 자랑하지.
새로 샀는데 타 보실래요?

그에게는 자신의 모습이 자랑스럽겠지만 알 만한 선비들이 보면 비웃음 받기 십상이야.
나랑 놀래?
까마귀 노는 데 백로야 가지 마라.

이전 사또가
그랬더라도
나는 그와 다르다.
또한
전임 사또를
비방하는 건
어리석은
행동이지.

청렴하기가 어려운 것이 아니라, 청렴함을
나타내지 않기가 어려운 것이네.

자신의 청렴을 가지고

남을 협박하거나 업신여겨서는
안 되지.
배 부르니
좋으냐?

가르침을
잊지 말게나.

도령은 점점 더 어려워져만 가는
수령의 길에 고개가 절로
숙여졌어.
어렵다….

도령은 생일이 다가오자 서울에 두고 온 어머니, 아버지,
누나, 형제들이 보고 싶어졌어.

도령은 가족들에게
편지를 쓰기
시작하는데….
생일에
한 번
초대할까.

이보게.

관청에는 수령과
그 인솔
가족 외에는
들이지 않는 게
좋네.

그래도요….

60세가 넘지 않은
부모님은
부임지에 모셔와서는
안 된다고
하셨잖아요.

가족들이
고을 아전들의
청탁을 받을까봐
경계하라고 해서
그리워도
여태 참았단
말이에요.

가족들이
보고 싶어요.

가족을 많이
거느리면

관아의 많은 일들과 얽히게 되어 선정을
베풀 수가 없게 되네.
치~잇
깨끗이
쓸게나.

만약 아비가 병들어 노쇠해
졌다면
아이구.

부득이 모셔와 따뜻한 방 한 칸을 마련해
병을 조리해 드려야 하지.
아이구, 효자로다.
아버지~.

그러나 외인과의 접촉은
절대 피하게 해야 하네.
네 이놈!

아버지들 중에 아전들을
꾸짖고 호령하고
우리아들이
수령이니라.
이놈아!

손님들을 끌어들여 관청을 어지럽히는 자가 많다네.
얼씨구.
쿵덕.
쿵더덕.

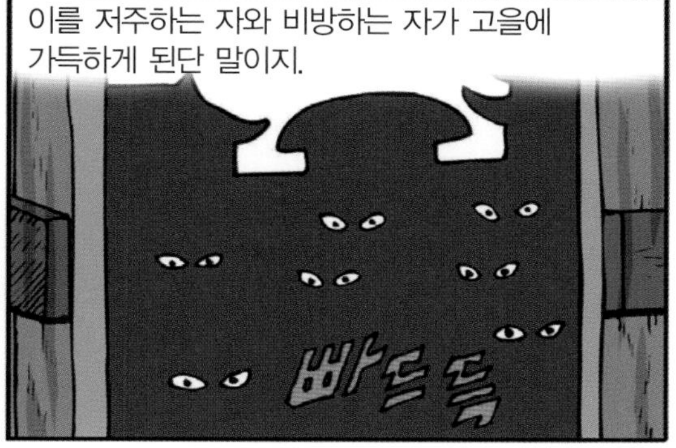
이를 저주하는 자와 비방하는 자가 고을에
가득하게 된단 말이지.
빠드득

그러면 부모와 자식의 효도가 다 더러워지니
저놈 혼내줘!
쩝!

이를 막기 위함이니 너무 서운해 하지 말게나.

그렇군요. 제 생각만 했어요.

가족을 잘 다스리는 게 고을을 다스리는 것보다 먼저겠죠?

맞네. 아내도 가능하면 관청으로 데리고 오지 않는 게 좋지.

정 어쩔 수 없다면 모르지만 여인네들이란

비단, 옷, 패물 등에 많은 욕심을 부리기 쉽고, 또 돌봐주어야 하는 노비들을 데리고 와야 하니 여간 수가 늘어나는 게 아냐.

또 관용 물건(관용 말이나 마차)을 아끼지 않고 쓰는 경우가 많으니 이를 늘 경계시켜야 한다네.

아내를 부임지로 데리고 왔다 하더라도
멋지다.
부임지

관아에는 절대 출입하지 못하도록 해야 하고
출입금지

아내의 손님이나 관아에 출입하는 손님들이
헤헤.

개인적인 연분을 핑계 삼아 청탁하지 못하도록 질서를 엄정하게 잡을 필요가 있지.
청탁

어린 자식이 같이 가자고 조르면 거절하기 어렵지만
으앙 같이가.

어려서 관청 생활을 누리다 보면

결국 게을러지고 방탕해지기 쉬워서 이를 또 경계해야 한다네.
꺼억~
배부르셔~!

또 형제들이 아무리 애걸하며 따라온다 하더라도 거절해야 하네. 가족 간의 화목도 중요한 것이나 사사로운 정에 이끌려서는 안 된다는 걸 명심하게나.
어딜따라와

깊은 밤

약용과 도령은 술을 기울이며 담소를 나누는데
술

무릇 양반은 풍류를 알아야 하는 거죠.

바둑과 장기를 즐기고 시와 노래까지 곁들인다면 더 좋을 것 같은데요.

풍류라 … 좋지.

나도
술을 좋아하지만
그 정도가 지나치면
안 되지.

노랫소리는 백성의 원망을 부채질하는 격이 되지.
쾡
쟁쟁
좋다.
이 흉년에
뭔 짓이야?

내 마음은 즐겁지만

좌우의 마음이 다 즐거울 수
없고
흥!

좌우의 마음이 다 즐겁더라도
성안의 마음이 반드시
즐거울 리 없네.
시끄러워.

아무리 좋은 일이 있더라도 가난하고 춥고 배고픈
자가 있고,

감옥에 갇혀 울부짖는 자가 있고, 세상 사는
즐거움이 없는 자도 있는 법이지.
니들끼리만
놀아?

그러니 관아에서 울리는 풍악 소리를
들으면
관청

이마가 찌푸려지고 저절로 욕이
나오니 저주를 품게 되지 않겠나?
콱!
넘어져
버려라.

즐거움은 입 밖에 내면 흉하게
되는 것일세.
크하하하.
윽!
더러워.

이 말을
잊지 말게나.

생일이라 하더라도
풍악은 울리지
않는 게 좋지.

또 이런 일도
있었다네.

어떤 고을의 수령으로, 직무에 깨끗하고 청렴결백하기로 유명했지.
그러나 성품이 매우 소탈하고 담백하여 사무처리에 익숙하지 못해서

죄인 다스리는 것을 신경쓰지 않고
담담하게 관아에 앉아 시만 읊조렸지.
아~ 좋은
시로다!
정사는 아니
돌보시고….

어때, 자네가 보기에는
본받을 만하겠는가?

음…
제가 생각하기에는
괜찮을 것
같은데요.

청렴하고 시를 읽고
성격도 온화하고….

다 배운 대로
한 거잖아요.

그런가?
하지만
사람들은
그를 두고
이렇게 말했어.

"우리 사또님은 백성 아끼기를
자신같이 하는 데도

모두가 그를 원망하고
한심한!

털끝만큼도 잘못한 일이 없는 데도 창고는
바닥이 났지."라고 말이야.
창고
텅~텅~

그래서 임금님은 그를
파면시켰다고 하네.
파면

나는
벼슬 체질이
아냐.
명상이나
하자.
잘
알겠지?

마음으로 그치지 않고
백성들을 위한 실제 업무를
부지런히 해야 하는
거군요.
곡식
대출

도령은 크게 깨달은
바가 있었지.

약용은 또…
수령이
아전
몇 사람과
휴가를
얻어

춤추고 노래하는 자들을 데리고 절에 놀러
가기로 하는데

술에 얼큰히 취하여 시를
읊으며 풍류를 즐겼지.
너 노을,
나 사또!

그런데 그 절의 스님이 사또에게 한마디했어.
사또님은 한나절의 즐거움을 얻지만 저는 사흘 동안 바쁘게 생겼습니다.

하루는 장막을 쳐야 하고 하루는 사또가 놀 수 있도록 살펴야 하고

또 하루는 청소를 해야 한다는 말이야. 무슨 뜻인지 알겠지?

수령이 절에서 한 번 놀면 스님이 평소 소비하는 비용의 거의 반 년치를 쓴다는군.
유흥비

일행이 술, 담배, 음식을 빼앗아가고 또 만약 기생을 데리고 가 풍악을 울리면 그 무희와 악공들에게 모두 밥을 제공해 주어야 하니 스님들이 견디겠는가?

수령이 쌀이나 돈을 주어 그 비용을 갚기도 하지만
잘 놀고 가네.

비록 수령이 직접 준다고 하더라도 수령이 문밖으로 나가면 고을 아전들이 빼앗아 가버리니
내 거야.

쌀을 주겠다는 증명서를 받아야 겨우 안심할 수 있는 세상이네.
영수증

그러니 관리들의 풍류소리가 백성에게 곱게 들릴 리가 없지.
썩은 관리들…

눈을 흘겨 저주하고 욕하는 소리가 들리지 않는다 하여
바보.

못 들으면 안 되는 것이네. 명심하게나.
잘 새겨 듣겠습니다, 스승님.

조선시대의 청렴결백한 관리

2. 맹사성(孟思誠) 1360~1438

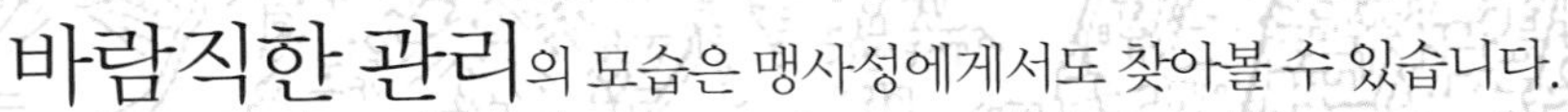

바람직한 관리의 모습은 맹사성에게서도 찾아볼 수 있습니다.

맹사성

맹사성은 고려 말 우왕 12년(1386)인 27세 때 장원 급제하여 춘추관 검열로 벼슬길에 올랐습니다. 그 후 조선왕조가 혁명을 일으켜 새 나라의 기틀을 잡는 와중에 백성을 위해 일하기로 마음먹은 맹사성은 태종 6년(1406) 8월에는 정3품 당상관인 이조참의에 등용되기도 했지요.

맹사성은 높은 벼슬인 정승에 올랐어도 청빈하고 검소하게 살았어요. 그런 생활은 맹사성의 많은 한시 속에 나타난답니다. 음률에 정통한 문학과 음악의 달인이었으며, 자연의 이치에 순응하여 멋과 여유를 가지고 살며 재미있는 일화를 많이 남긴 풍류 명사였지요.

맹사성이 남긴 재미있는 일화 가운데 하나입니다. 맹사성은 높은 벼슬과는 어울리지 않게 평소 말이나 가마 대신 '기린', 또는 '기리마' 라고 부른 '검은 소' 를 즐겨 탔습니다. 어느 날 맹사성은 온양의 부모님 산소를 찾아 성묘하고 서울로 돌아가는 길이었지요. 그날도 여전히 기리마를 타고 어슬렁거리며 용인 땅을 지나는데 갑자기 봄비가 내리기 시작했답니다. 점점 굵어지는 빗방울에 할 수 없이 주막으로 찾아 들어가 비가 그치기를 기다렸습니다.

주막 안에는 젊은 선비 하나가 이미 아랫목에 자리 잡고 있었어요. 본래 검소하여 좋은 옷을 입지 않았고 시골 노인처럼 아무렇게나 걸치고 다니던 차에 옷까지 비에 흠뻑 젖었으니 정승이라는 것을 알아볼 수가 없었지요. 문가에 앉아 날이 개기를 기다리고 있는데, 하인들을 거느리고 앉아 있던 아랫목의 젊은 선비가, "노인장, 이쪽으로 오셔서 편히 앉으시지요."하고 권하는 겁니다. 젊은 선비는 영남 사람으로 서울에 과거 시험을 보러 가는 길이었지요.

두 사람은 비가 그치기를 기다리는 동안 심심풀이 삼아 장기를 두었는데 승부는 번번이 맹사성의 승리로 돌아갔지요. 그러자 선비가 이번에는 묻고 대답하는 말끝에 '공' 자와 '당' 자를 달아서 누구의 말문이 먼저 막히는가 보기로 했어요. 먼저 맹사성이 시작했습니다.

"서울에는 무엇 하러 가는공?"

"녹사 시험 보러 간당."

(녹사 – 의정부나 중추원에 속한 경아전의 상급 구실아치를 통틀어 이르던 말)

"내가 합격시켜 줄공?"

"에이, 놀리는 건 옳지 않당."

그러는 사이에 날이 개어 두 사람은 길을 떠나 서울로 올라와 헤어졌습니다.

그리고 며칠 뒤, 맹사성이 공무를 보고 있는데 한 젊은이가 녹사 시험에 합격했다고 인사를 하러 왔습니다. 그는 바로 며칠 전 주막에서 만난 선비였어요. 맹사성은 장난기가 발동하여 이렇게 물었어요.

맹사성 고택

"어떻게 되었는공?"

그러자 젊은이는 자신이 인사하러 온 우의정이 바로 며칠 전에 만난 허름한 옷차림의 그 촌로인지라 깜짝 놀라 대답하기를, "죽어 마땅하옵니당!" 했다고 합니다. 그 젊은이도 풍류의 멋을 아는 선비였던 모양입니다.

어찌된 영문인가 의아해하는 사람들에게 맹사성이 자초지종을 이야기해 주자 모두가 배꼽이 빠져라 한바탕 웃음을 터뜨렸다고 합니다. 정승이라 하더라도 평소 지위를 드러내지 않고 다녔던 맹사성의 모습이 잘 드러난 일화 중에 하나랍니다.

제5장 목민관의 공무 처리법

그것이 수령으로서 해야 할
가장 중요한 것이지.

저처럼 걱정만
하는 게
중요한
거라고요?

하하.
신하는
임금의
팔다리가
되어야
한다네.

임금의 덕을 선포하여 백성들로 하여금 임금을
사랑하고 받들게 하는 게 바로 수령이 할 일이네.

임금님
만세!

그런데 요즘 수령은 스스로 함정을 파놓고 거기서 자신만
쏙 나오니 그 원망이 다 임금에게 돌아가는 것이네.
뭔
세금이
이리
많아!
난
몰라.
세금갈취

이 사람을 한번 보게나.
왜
그러슈?

임금께서 조서를 보냈는데
잉?
세금 징수를
연기
하라.

그걸 장농 속에 꼭꼭
숨겨두면서

아전들과 속닥속닥 얘기를 했지.
쑥떡
붕어떡
꿀떡

그러고는 관청 문밖에 방을 붙였어.
조정에서
세금을
빨리 거두라고
재촉하신다.
수령 백

아전이 수령에게
헤~.

수령님, 세금을 미루어 주라고 한 것이 몇 번째인감요?

이게 아홉 번째야. 다음에 한 번 더 와야지 백성들에게 알려줄 거야, 흐흐흐.

어때? 수령이 할 일이 뭔지 알겠나?

자네도 혹시 윤음을 받아 놓은 게 있나?

아~ 어제 받은 이 서한 말씀하시는 건가요?

이건 제게 내린 명령서 같아서 잘 보관했는데요.

이런 이런….

임금의 명령이 전해지면
어명
툭

백성이 모두 임금의 뜻을 알게 하는 것이 수령이 할 일이지.
어명
이것이 진정 나라님의 뜻입니다.

아버지와 같은 임금이 자식 같은 백성을 위로하고 격려하는 소리를 윤음이라고 하네.
아~부지.
그려 그려….

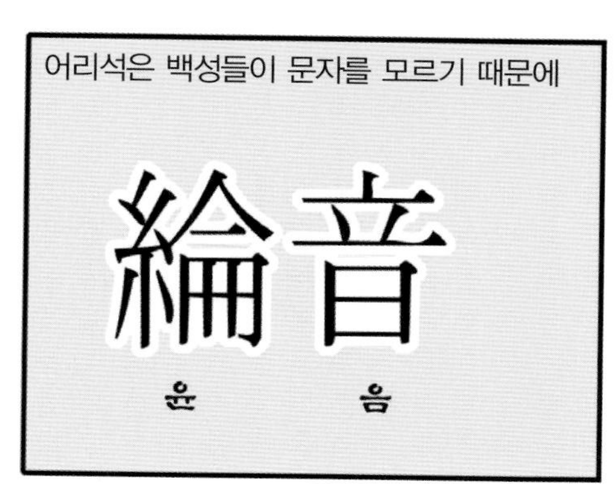
어리석은 백성들이 문자를 모르기 때문에
綸音
윤 음

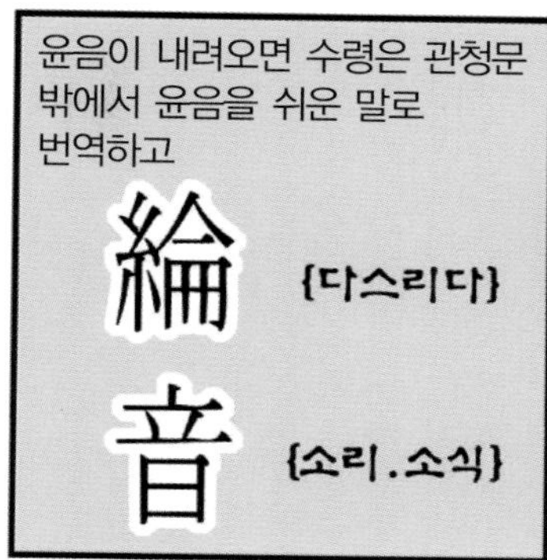
윤음이 내려오면 수령은 관청문 밖에서 윤음을 쉬운 말로 번역하고
綸 {다스리다}
音 {소리, 소식}

설명을 덧붙여 써야지.
국왕이 관인과 백성을 타이르는 내용을 담은 문서예요.

그래서 조정의 은혜를 널리 알리고 백성들로 하여금 국가의 은혜를 마음속에 새기도록 해야 한다네.

내가 영남 지방에 가보니 아주 초라하고 작은 마을에

'윤음각' 이라고 하여
윤음각

그 고을 수령이 윤음이 있을 때마다 판자 위에 붙여 놓았다네. 그 앞을 지나는 마을 노인들이 절을 하고 좋은 일이나 슬픈 일이나 그곳에 와서 의논을 하더군.

이 얼마나 아름다운 풍속인가? 도령도 한번 해보면 어떻겠는가?

아, 그거 좋은데요? 임금님의 뜻을 받들어 백성을 사랑해야죠.

근데 임금님께 꾸지람이라도 들을까봐 늘 걱정스러워요.
어~허! 두려워할 게 무엇인가?

법대로 일을 처리한다면야 상관의 눈치를 볼 필요가 없는 거지.
법
진리
공정
평등

조정에서 칭찬하는 것은 수령을 기리는 것이 아니요,
잘했죠?
국가

조종에서 꾸지람을 하는 것도 수령을 미워하는 것이 아니네.
똑바로 해!

꾸지람도 칭찬도 다 백성을 위한 것!
임금님이 우리에게 관심이 많으시구나.

임금님의 말씀을 모두 백성에게 알려 임금님의 은덕을 선포해야 하는 것이니 절대 감추어서는 안 되네.
임금님이 힘내시래요.

하루는 수령보다 높은 지위를 가진 감사가 편지를 보냈어.

내 아내가 자네 고을에서 만든 함지박 하나를 선물 받길 원한다네.

금번 주말까지 기일을 맞춰 주시게.

도령은 어찌할 줄을 몰라 쩔쩔매고 있었어.
이를 어쩌지. 함지를 만들려면 나무를 해와야 하는데.

지금은 나무가 앙상해서 재료가 없는데….

주말이면 3일 후인데 시간도 없고….
목 금 토
5 6 7
12 13 14
19 20 21

도령은 쩔쩔매며 이방을 불렀어.
쪼르르..

어쩌지요?
함지 만들 나무를 구하려면
전국을 돌아다녀야 하고

3일이면
시간도
안 됩니다요.

도령은 감사의 부탁을 못 들어주게 되니
꾸지람을 받을 것과
그것도
못 들어
주는가?

감사가 매기는 평가에서
하하(下下)를 받을 것이 뻔하니
헉!
사또평점
下

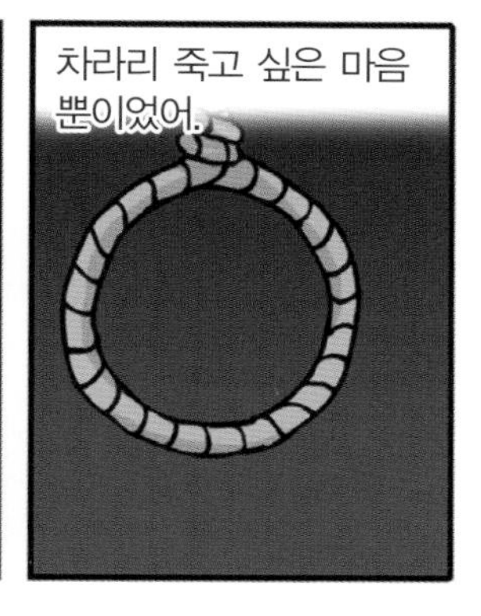
차라리 죽고 싶은 마음
뿐이었어.

아~ 나에게
이런 시련이….
수령을 맡은 지
1년도 못 되어
명예롭지 못하게
물러나게 되느니
차라리 죽는 게
낫다.

잠깐!
기다려 보게.

잘 달리는
말 한 필
주게나.
내가 가서
구해옴세.

그리고 해질녘이 되어 함지 하나를
구해왔어.

도령은 기쁨을 감추지 못하고 죽은 사람이 살아 돌아온 양 반갑게
맞이했지.

이 함지를 얼른 감사에게
보내게.

도령은 함지를
감사에게 보낸 후

감사에게서 고맙다는
답신을 받았어.

어찌 구하셨어요?
지금은 함지나무를 구하기
힘들 텐데….

내가 귀신도 아닌데
없는 함지나무를
어찌 구해
함지를 만든단
말인가?

서울 장터에 가서
사온 거라네.

감사의
아내가
이 마을에서
만든 함지로
안다니 됐소.

도령은 휴~하는 한숨과
목민관으로서의 어려움에 또 어깨를
축 늘어뜨렸지.

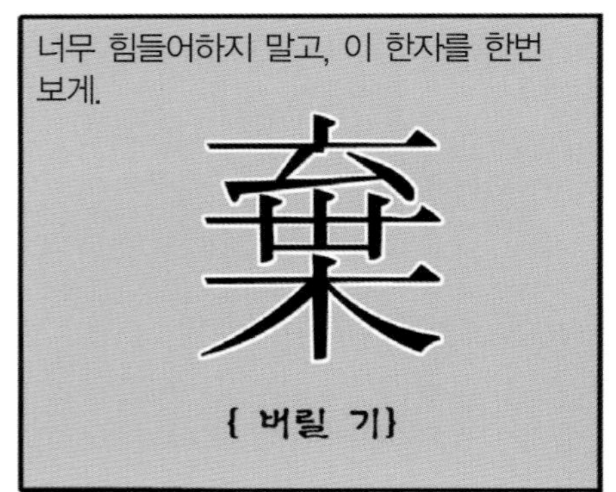
너무 힘들어하지 말고, 이 한자를 한번
보게.
棄
{ 버릴 기 }

무엇을 버리라는
것입니까?
棄

상관이 이렇게 개인적인
부탁을 무리하게 하는 것을
어찌 다 들어줄 수 있겠는가?
돈 좀
빌려줘!

하관으로서 상관의 비위를 맞춰
섬기는 것은 곧 아첨일 뿐이네.
마음대로
쓰시어요.
돈

그러나 핑계를 대고 거절할 수도
없으니 참 어려운 일이로다.
끙..끙..
나도… 통하지
않는구나.
핑계

중요한 건 벼슬살이마저 과감히
버릴 수 있어야 한다는 것이네.

행동에 장애가 있으면
벼슬을 버리고
방해
하지
마!
뻥
8

마음에 꺼리는 일이 있으면 벼슬을
버리고
부담스러워.

상사가 무례하게 굴면 벼슬을
버리고
안해!
안해!
어쭈!

뜻이 행해지지 않으면 벼슬을
버려야지,
인생을
가로막는
벼슬이로다.

벼슬을 붙들고 마음과 뜻이 아닌데도 좇다보면
왈왈…
이리 온!
벼슬

의롭지 못한 일을 하게 되는
거네.
세금
도둑
헤~.

벼슬에 집착하지 말고
그것을 살짝 놓는 것도
좋지.
벼슬

그러던 어느 날
가난이 깊이 들어 백성들이 세금내기가 어렵습니다.

그럼 내가 직접 확인할 것이니

쌀과 군포를 납부한 자를 다 불러오라. 내가 일일이 대조해 볼 것이니라.

아전들은 얼굴이 파랗게 질려 서로 쳐다만 봤지.

어느 안전이라고 딴전을 피우느냐!

아전들은 땅에 엎드려 벌벌 떨며
잘못했습니다요!

저희들이 농간을 부렸습니다요.
세세히 말해 보거라.

쌀을 거두어들일 때는 넉넉하여 재산이 있어 보이는 집의 것은 저희가 개인적으로 취하고
갈취

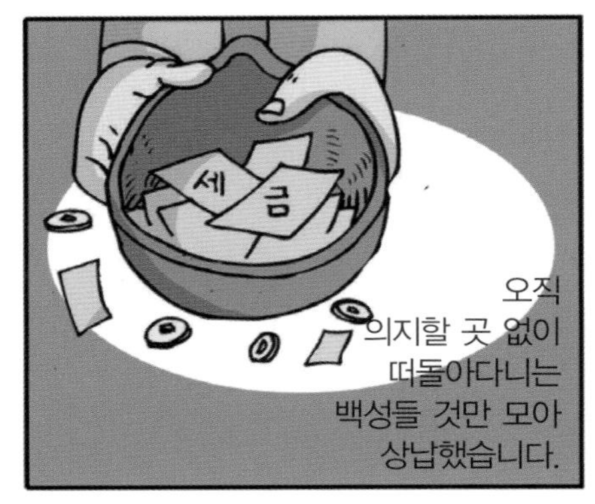
세금
오직 의지할 곳 없이 떠돌아다니는 백성들 것만 모아 상납했습니다.

그럼 군포는 어찌 된 거냐?

또 아전이 말하길, 백성들에게 거두어 들일 때는 길이가 긴 자를 썼고

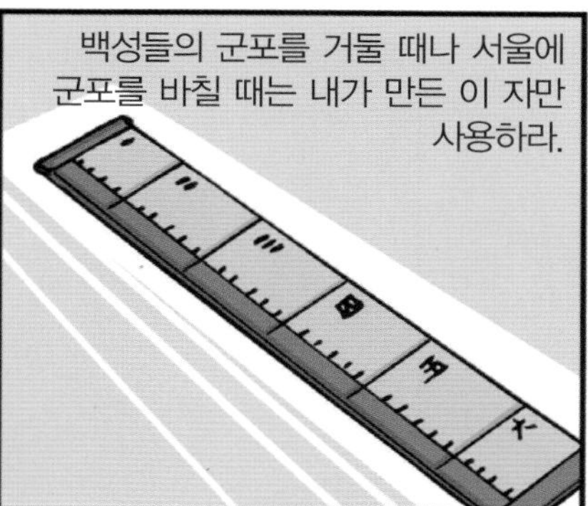

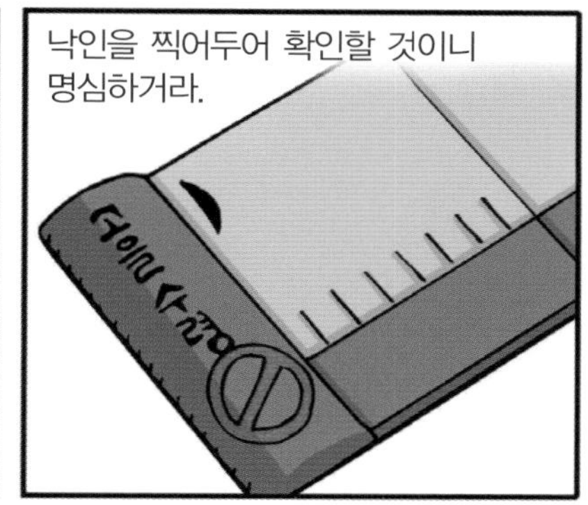

뿐만 아니라 백성들의 쌀이나 군포를 납부할 때에는 관아의 뜰에서 할 테니, 아전들이 사사로이 백성의 집을 돌아다니는 일이 없도록 하라.

약용 왈…
오늘 낮의 일은
참 잘 처리했네.

수령이란 백성을 직접 만나는 벼슬이지.
임금은 지극히 높아 백성을 만나지 못하므로
수령으로 하여금 다스리게 하였네.
전달.
전달.
네.

결국 몸소 모든 일을 다루면서 백성의
고통을 살펴주어야 한다네.
백성

그런데 요즘 수령은 스스로
높은 척하고
역시 위 공기가
좋군.

백성들에 관한 일은 아예
아전들에게만 맡기지.
업무
죽어난다.
끙.

요!
우리는!
힙합에
빠져…
예!
그러니 온갖 횡포와 기괴한 일이
일어나도 귀머거리처럼 듣지 못하고
장님처럼 보지 못하지.

수령이
이래서야
되겠는가?

도령이 공문을 정리하고 있어.

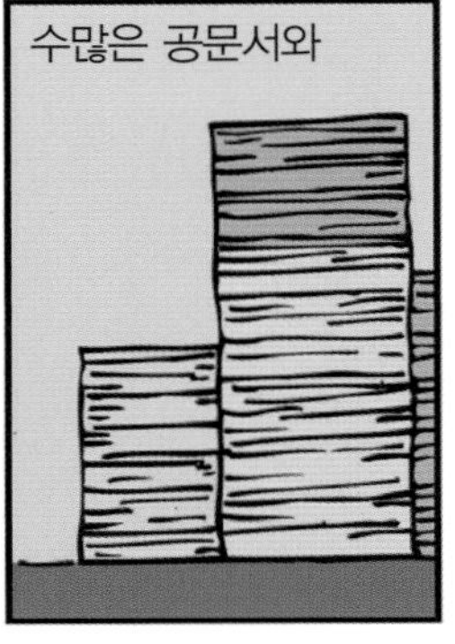
수많은 공문서와

백성들의 호소문 등을
검토하느라 밤 늦게까지
잠 못 드는 도령은
호소문

머리며 옷가지가
부스스해졌어.

이거야, 원!
서류 보고 하는 데도
시간이 이리 많이
걸리니,
백성을 직접 만나
살필 겨를이 나질
않는군.

어휴~ 바쁘다 바빠.
기일이 촉박하더라도 제대로
해야 할 텐데.

내 힘으로는 도저히 안 되겠다.
스승님께 도와달라고 해야지.
스승님!

흠,
많은 보고서로
고생하고 있군.

우선 공문을
잘 정리해 봄세.

공문서가 많은 경우 장부에 잘
정리한 후 긴요하지 않은 것들은
아전들에게 맡기게나.

기록만 정확하면
큰 문제가 되지 않네.

그리고 형식적으로 월말에 보고해야
할 것은 직속 상사와 의논하도록 하게.
보고!
쉬어.

실제로 하지도 않은 일을 형식에 얽매여 허위로
작성하는 일이 많으니 12개월 동안 있었던 일을
잘 정리해서 한 번에
보고하는 것이 더욱 사실에
가까운 법이라네.
연말에
한 번에 처리하니
수월하군.

이건 이웃 고을로 보내
한꺼번에 보고해도 될 것
같은데요?
그렇지!
이웃과
잘 지내는 것도
아주
중요하다네.

서로
존중하면서
예의를 갖추면
서로에게
큰 도움이
되지.

이런 경우도 있었네. 양나라와 초나라를 사이에 두고 양쪽 경계에다 오이를 심었다고 하네.
양
초

양나라 사람들은 부지런해서 물을 자주 주니 오이가 좋았고,

초나라 사람들은 게을러서 물을 대지 못하니 그 오이가 좋지 못하였지.
쿨.
쿨.

이에 초나라 수령이 양나라 오이가 잘 되는 것을 시기하여
심술

밤중에 몰래 오이를 손톱으로 긁어 버렸지.
히히…

그래서 양나라 오이가 말라죽어 버렸어.

양나라 사람들이 그 앙갚음으로 초나라 오이를 긁어 버리려고 하니

양나라 수령은 이는 화를 나누는 것이니 그러면 안 된다며

사람을 시켜 몰래 초나라 오이밭에 물을 대 주었단다.
쏴아.

자기 나라 밭에 물이 대어져 있는 것을 보고 초나라 수령이 기뻐서
오호!

왕에게 알렸다고 하네. 그래서 어찌 되었겠는가?

초나라는 양나라의 숨은 양보를 기뻐하며 귀중한 물품으로 사례하여 양나라와 우호를 맺었다네.

평상시에 이웃 고을 수령과 예의로 사귀어 두어야 하는 거죠?

그러나 사귐에 한가로이 왕래하지 말며

이렇게 이웃 고을에 공문을 보고 할 때 예의와 존경을 갖추어서 서문을 쓰면 되네.

그 자리가 낮다고 하더라도 절대 얕잡아 보아서는 안 되며 서로 양보하는 것을 잊지 말게나.
예절

스승님, 지난번에 왔던 서류인데요. 이것 좀 한번 봐주세요. 뭔가 꺼림칙한데 어찌 처리할까요?

약용은 서류를 한번 읽어보더니 말했어.

보고서 중 인명에 관한 것은 언제나 조심해야 하며
정아무개
박아무개
김아무개

도적에 관한 보고서는 엄격히 비밀을 지켜야 하네.

지난번
최부자 사건은
어찌된 것인지
자세히
알아봤는가?

일이 너무 밀려서
까맣게 잊고 있었네요.

지금
당장
알아봐야
겠어요.

도령은 아전들을 불러…

최부자
관련 서류를
다 가지고
들어오너라.

아전들은 뜨끔해 하며 서류 뭉치들을 다
도령의 방에 들여 놓았어.

도령은 이 두루마리를 찬찬히
훑어 읽으면서

고개를 갸우뚱 갸우뚱했어.

그 후 아전들을 관아에 다 불러들여 무릎을 꿇여 놓았지.

내 이 서류를
검토해 보니 전 수령이
적어 보고한 보고서와
답신의 보고서에
차이가 있으니

너희가
사실대로 말하면
죄를 덮을 것이요,

그렇지 않으면
이 일을 회고하여
다시 처리할 것이다.

아전들이 말하기를…

최부자는 이전에 이방으로 일했던 사람이옵니다.
흠.
이방

어쩌다 살인을
저질렀는데

그때 아전들이 그를 불쌍히 여겨
도울 방법이 없나 생각했습니다.

그래서 수령님께서 상부에 보고한 보고서를 중간에서 가로채
저희들이 고쳤습니다.

증거가 없어 죄를 물을 수 없다고 서류를
다시 작성하여 상부에 올린 것이죠.

죽을 죄를
지었습니다.

도령은 기가 막혀, 길게 탄식했어.
후~우!

이렇게
일이 이루어지니
백성들이 관아를
뭘로 볼 것이며,

그 원망을 어찌 다 식힐 것이오?
퉤!
관아

수령이 보낸 보고서와
상부에서 내려온 회답 문서에
내용의 차이가 있을 경우엔

의심만 품고 끝나서는 안 되네.
상부에 가서 문서를 확인한 후
상부

이 무리들을 벌주어야
한다는 걸 잊지 말게나.

또한 큰 도적은 그 일당이 널리 깔려
있으니

고을 아전들이 그들의 귀와 눈이
되기도 하네.
속닥.
다리 지을
자금이 들어
왔어요.
털어
가세요!
속닥.
솔깃..

큰 도적을 잡기 위한 문서는 비밀로 하고
절대 알려지지 않도록 해야 하네.

유배지에서 보낸 편지

정약용은 18년간의 유배 생활로 가족이나 지인 들과의 자유로운 왕래가 불가능했습니다. 하지만 그의 끓어넘치는 가족애와 지인들과의 우정까지 가로막을 수는 없었습니다. 그는 끊임없이 서신을 주고받으며 두 아들에게 가르침과 사랑을 주었고, 지인들과는 현실 사회에 대한 비판을 주고받으며 멀리 서이지만 자신의 건재함을 널리 알렸던 것입니다.

특히 유명한 편지글은 유배지였던 전남 강진에서 두 아들에게 보낸 편지입니다. 어찌 보면 가까이에 있는 아버지가 밥상머리 교육을 하는 것 같기도 하고 따뜻한 부성애로 인생에 대한 철학을 말하시는 것 같기도 한 편지인데, 잠깐 읽어 볼까요? 박학다식했고 천재적 학식에 명철했던 유학자였던 정약용의 근검절약, 부지런함에 대한 인간적 면모를 드러내는 글이기도 하답니다.

두 아들에게

내가 벼슬살이를 못하여 밭뙈기 얼마만큼도 너희들에게 물려주지 못했으니, 오늘은 오직 글자 두 자를 정신적인 부적으로 마음에 지니어 잘 살고, 가난을 벗어날 수 있도록 너희들에게 물려주겠다. 너희들은 너무 야박하다고 하지 마라. 한 글자는 근(勤)이고 또 한 글자는 검(儉)이다. 이 두 글자는 좋은 밭이나 기름진 땅보다도 나은 것이니 일생 동안 쓰고도 다 쓰지 못할 것이다.

부지런함(勤)이란 무얼 뜻하겠는가? 오늘 할 일을 내일로 미루지 말며, 아침때 할 일은 저녁때 하기로 미루지 않으며, 밝은 날에 해야 할 일을 비 오는 날까지 끌지 말도록 하고, 비 오는 날 해야 할 일도 맑은 날까지 지연시키지 말아야 한다. 늙은이는 앉아서 감독하고, 어린 사람들은 직접 행동으로 어른의 감독을 실천에 옮기고, 젊은 이는 힘든 일을 하고, 병이 든 사람은 집을 지키고, 부인들은 길쌈을 하기 위해 한밤중이 넘도록 잠을 자지 않아야 한다.

요컨대 집 안의 상하 남녀 간에 단 한 사람도 놀고 먹는 사람이 없게 하고, 또 잠깐이라도 한가롭게 보여서는 안 된다. 이런 걸 부지런함이라 한다.

검소함(儉)이란 무얼까? 의복이란 몸을 가리기만 하는 것인데 고운 비단으로 된 옷이야 조금이라도 해지기만 하면 세상에서 볼품없는 것으로 되어 버리지만, 텁텁하고 값싼 옷감으로 된 옷은 약간 해진다 해도 볼품이 없어지진 않는다. 하나의 옷을 만들 때마다 앞으로 계속 오래 입을 수 있을까 여부를 생각해서 만들어야지, 곱고 아름답게만 만들어 빨리 해지게 해서는 안 된다. 이러한 생각을 하면서 옷을 만들게 되면, 당연히 곱고 아름다운 옷을 만들지 않고 투박하고 질긴 것을 고르지 않을 사람이 없게 된다.

음식이란 목숨만 이어가면 되는 것이다. 아무리 맛있는 고기나 생선이라도 입 안으로만 들어가면 더러운 물건이 되어 버린다. 삼키기 전에 벌써 사람들은 싫어한다. (중략) 어떤 음식을 먹을 때마다 이러한 생각을 지니고 있어야 하며, 맛있고 기름진 음식만을 먹으려고 애써서는 결국 변소에 가서 대변 보는 일에 정력을 소비할 뿐이다.

그러한 생각은 당장의 어려운 생활 처지를 극복하는 방편만이 아니라 귀하고 부한 사람 및 복이 많은 사람이나 선비들의 집안을 다스리고 몸을 유지해 가는 방법도 된다. 근과 검, 이 두 자 아니고는 손을 움직일 수 없는 것이니 너희들은 절대로 명심하도록 하라.

고등학교 교과서에 실려 있기도 한 편지글이지만 어렵지 않게 읽어 내릴 수 있는 것은 우리가 집에서 아버지께 늘 들을 수 있는 말씀이기 때문일 겁니다. 정약용이 아들들에게 말하고 싶었던 것은 간단히 말해 "놀지 말고 일해라. 비싼 옷보다는 깨끗한 옷이면 된다. 비싼 음식을 먹으려 하지 말아라." 등입니다. 이러한 삶의 가치는 엄하면서도 자상한 아버지의 삶을 엿볼 수 있게 하기도 합니다. 유배의 아픔 속에서도 시대를 걱정하고 스스로를 경계하며 한 치 흐트러짐 없는 지식인의 길을 걸어간 정약용의 삶의 모습이 고스란히 담겨 있답니다.

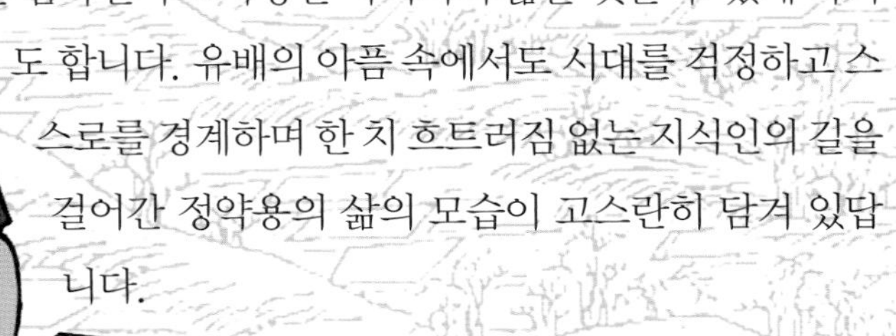

《목민심서》 등의 저술에서 백성을 사랑하는 여러 정치, 제도의 마련을 이야기한 정약용이 아들들에게 이웃에 대한 사랑을 삶에서 실천하도록 한 겁니다. 이는 이론과 실천의 일치함을 보여 주는 것이라고 할 수 있겠죠? 아버지의 부재(不在)로 넉넉하지 않은 살림을 사는 가족들에게 미안함도 있었겠지만, 더 어려운 이웃을 살필 수 있어야 한다고 말씀하시는 아버지의 가르침은 바르고 곧은 지식인의 정신을 그대로 담고 있다고 할 수 있답니다.

사람이란 물고기를 놓아 버리고 곰을 취할 때가 있는 법인데 하물며 귀양이 풀리느냐, 안 풀리느냐는 조그만 일에 잽싸게 꼬리를 흔들며 애걸하고 산다면, 만약 나라에 외침이 있어 난리가 터질 때 임금을 배반하고 적군에 투항하지 않는 사람은 씨도 없을 것이다. 내가 살아서 고향땅을 밟는 것은 운명이고, 밟지 못하는 것도 운명일 것이다. 사람이 해야 할 일을 다하지 않고 천명만을 기다리는 것은 이치에 합당하지 않을지 모르나 나는 사람이 해야 할 일을 이미 다 했으니 이러고도 돌아가지 못한다면 이것 또한 운명이다.

길고 긴 유배 상황에 한탄과 비애도 있을 법한데도 귀양에서 풀려나는 것 또한 운명이니 너무 연연해 하지 말라고 말씀하시는 아버지의 당당함은 자손들에게 자랑스럽게 느껴졌을 겁니다. 보고 싶은 아버지를 보지 못하는 자식들의 애석함을 모르지 않지만, 슬픔에 그리움을 쌓는 것 또한 몸을 상하게 하기 마련입니다. 그러니 아버지는 굴하지 않는 당당함을 아들들에게 본보기로 보인 것입니다.

제6장 목민관의 백성 사랑하기

영락없는 거지 모습이었어.
좀 도와드릴까요?

도령은 관아를 빠져나와 먼저 마을의 주막을 찾아갔어. 주막에는 동네 사람들이 모여 밥도 먹고 이야기꽃을 피우고 있었지.

막걸리에 김치 안주 하나라도 즐겁게 모여 먹으니 그 모습이 참 보기 좋았어.

도령은 그들을 보고 흐뭇했지.

도령도 막걸리에 파전 한 접시 시켜 놓으니 모처럼의 여유가 생기는 것 같았어.

올해 농사는 많이 어려우이. 거둔 곡식은 없는데 가족들은 배고프다고 난리니… 가장으로서 면목이 없네그려.

그래도 자네는 가족이 단출하니 뭔 걱정인가? 나는 80이 넘은 어머니가 거동은 못하시고 식사 챙겨드리기도 힘겨우니 효성이 나오질 않네그려. 원 허리가 꺾어질 것 같네.

자네만 그렇겠나? 너무 걱정 마. 우리집도 사정은 다 똑같지 뭐야.

그래도 다행히 올해 새로 온 수령은 예전같지 않게 너그러워 보이던데….

자네 생각은 어떤가?

나도 그렇게 생각하고 있었네.
그건 그렇고 지난 여름 홍수에
고아가 된 아이들이 그리 많다며?
어린 것들이 무슨 죄라고
그 애들을 다 버린다나? 불쌍하네.
내 자식도 건사 못하는데
남의 자식 돌볼 여유가 있어야
도와주지.
길에서 울고 있는 애를 봐도
그냥 둘 수밖에….

원 그런 애들이
한둘이어야지.
외면할 수 없으니
맘이 아프네.

좀
도와주세요!
애들은 애들이라서
그런가 보다 해야지.
다 큰 어른이
돼 가지고
자기 밥벌이를
못하는 사람이
한둘이야?

옆 고을 김씨는 자식도 없이 혼자 늙어가지고
끼니 거른 지가 보름이 넘었다고 하던데 얼굴은
창백해서 시체가 따로 없다네.

그래도 병 없이 몸 성한 것만 해도
천만다행이지.
아파도 의원한테 갈 수 있나
꼼짝없이 죽는 날만
받아두고 있다니깐.

죽어도 죽는 게 아니라구. 살아도 돈이 없어 천대받고
짐승처럼 살았는데 죽어도 그 가난은 끝나지 않는단
말야.

지난 여름 홍수로 죽은 시체가
강물에 넘쳐나는데도

그 시체를 거둘 사람이 없어 그대로 굴러다니고 있다는군.

막걸리가 오늘은 영 넘어가질 않아.

어디 무서워서 살 수 있겠나. 무서우이. 돈도 무섭고 가난도 무섭고 죽음도 무서우이. 가난은 나라님도 구제 못한다고 하는데 이를 어쩐단 말이우.

결국 죽는 수밖에 더 있겠는가!
벌컥..
벌컥

가만히 듣고 있던 도령의 눈에 눈물이 고였어.

개돼지도 이보다 낫겠다 싶었지. 어쩜 이리들 어려울까?
어디서부터 어디까지 도와주어야 하는 건지….

어디서부터 시작해야 할지 고민이었어.

주막을 빠져나와 관아로 돌아가는
도령의 발걸음은 무척 무거웠어.

도령은 관아의 아전들을
불러모아 의논했어.

백성들을
도와야겠는데
그 방도를
모색해
주시오.

어제 민가에 가보니 깨달은 바가 많소.
수령이 정치만 잘 한다고 백성들이 행복한 건
아닌가 보오.

내 보고 들은 바를 그대들도
전해 들었을 테니
묘안을 내어 보시오.

이방이 먼저 제안하기를
수령님!

효도하고 우애하지 않는 자는 있어도
우애하고 효도하지 않는 자는 없다는
말이 있습지요.
어머니
제
친구예요.
기특
해.

우애와 효도는 국가에서 가르치는
바이니 이를 백성들에게 본보기로
보여야 하지요.
국가

예법에 70세, 80세, 90세 이상인 노인들을 관아에 초대하여
대접하였다고 합니다요.
80 세
90 세
형아!
너희들은
누구니?
70 세

오호라!
그거 좋은
의견이오.
헤헤.

내
다음 달부터
시행해
보고자 하오.

일 년에 두 번씩, 봄 가을 좋은 날을
정해 노인들을 관아로 초대하시오.

거동이 불편한 자는 집으로 음식을
보내 대접받고 있음을 꼭 알 수 있도록
해 주시오.
이렇게
고마울
수가.

이렇게 동네 어른들을 모시고 민가의
괴로운 사정도 좀 듣고자 하오.
험.
많은 가르침
부탁드려요.

관청 뜰에 모이시면 내가 친히
그들을 대접할 터이니
이를 준비해 주시오.

예이~.

허나, 수령님. 올해 예산의 많은
부분이 이미 지출되어 돈이
별로 없습니다요.
어찌 할까요?

비록 이 고을이
장수 마을이라
하더라도
70세 이상
되는 노인분은
불과 몇십 명일
것이오.
그러니 괜찮을
겁니다.

70세 노인에게는 음식 가짓수 4개,

80세 노인에게는 5개, 90세 노인에게는 6개,
이렇게 정해 보면 되잖소.
부럽다.
이가 튼튼해야
다 먹을 텐데…

돈을 많이 들인
성대한 잔치보다는

정성과 뜻으로 이들을 초대해 보자는 것이오.
초대장
노인잔치

관인들 중에 기생과 광대를 불러

하룻밤에도 거액을 쏟아 버리는 자가 수두룩한데

어찌 돈이 없다고 말할 수 있소.

내 녹봉(월급)을 아껴서라도 이들을 대접하고 초대할 것이니
허걱! 혹시 나두?

차질 없이 준비해 주시오.

나이 든 어른을 위해서도 힘을 써 주시고 버려진 아이들을 위해서도 좋은 의견을 내 주시오.
엄마…?

수령님, 전쟁과 홍수로 형편이 어려워지니

자식을 파는 자도 있고
아버지!

개천에 버리는 자도 있습니다.

태어나자마자 부모를 잃은 아이도 있고

속설에는 5월에 태어난 아들은 꺼린다 하여 버리기도 합니다요.
응앙
보릿고개라 식량도 없는데… 어이할꼬.

상황이 심각합니다요.

어찌 한 마을의 수령이 된 자가 이를 몰랐단 말인가. 심히 부끄럽소.

어찌어찌된 사정으로 버려진다 하더라도 그 대책이 없습죠.

길가에 버려진 아이의 숨결이 끊어지지 않고 울고 있는데도 행인들은 불쌍하다고 한탄만 할 뿐 거두어 들이는 자가 없습니다.
앙-앙.

심지어 죽은 어미가 산 자식을 안고 있고, 굶주린 아비가 배고파 우는 자식을 안고 울고 있습니다. 입이 있어도 호소할 곳이 없습니다.

도령은 긴 한숨 끝에 하늘이 공평하지 못하다며 슬퍼하였지.
후우

그러고는…
우선, 흉년이 들더라도 자식을 기르지 않고 버리면 살인죄와 같이 다스리도록 하게.

흉년이나 기근이 들었을 때
아이를 잉태하면 관아에서
비용을 주어 구제하도록 하라.
출산
지원금

또 버려진 아이를 데려다 기르는
부모에게는 한 달에 쌀 두 되씩 주거라.
쌀

젖을 먹이는 자가
있으면

쌀과 미역, 간장을 나누어 주도록 하고
간장

매일 한 번씩 관아에 오게 하여
살펴보도록 하라.

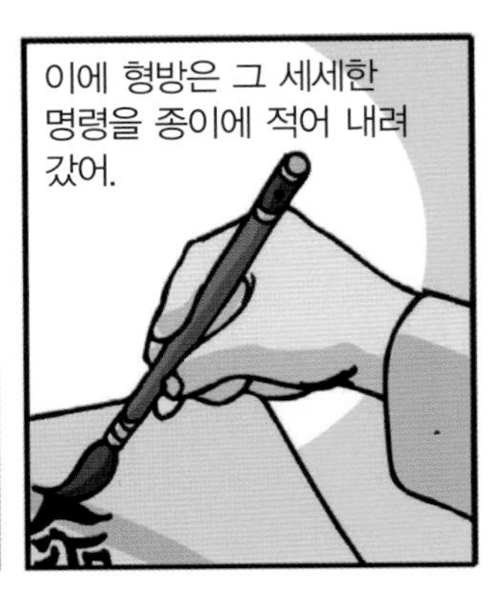
이에 형방은 그 세세한
명령을 종이에 적어 내려
갔어.

또 데려다 기른 아이의 부모에게는
관아에서 양육증명서를 발급해 주게.
양육
증명서

친부모가 나중에 찾으려고 하더라도
아이고- 영구야!
영구
없는데?

아이를 거두어 기른 정성이
헛되지 않도록
세심히
살피거라.
위로금

또한 데려다 기른 아이를 양자로
삼을 경우

기른 부모의 성을 이어받을 수
있도록 하는 것도
박씨
박씨

조항에
넣어 두게나.

형방과 이방은 도령의 사려 깊음에 고개가 절로 숙여졌어.

이토록 백성을 살피고 가난한 백성의 생활을 도와주려고 애쓰는 수령은 처음 본 거야.
고민··
고민··
어찌해야 백성들이 더 행복해질 수 있을까?

예전에는 자기의 이익만 생각하고
이방거
형방거

수령과 백성을 골탕 먹이던 형방과 이방이지만
도둑놈들…
탈취
백성들이 가난해서 세금을 못 내요.

도령의 모습을 보니 가슴이 뜨끔거려 고개를 들 수가 없는 거지.

올해 우리 고을에 결혼한 이들이 얼마나 되는고?

전쟁으로 남자가 줄고 혼수를 할 수 없는 형편인지라 올해에는 아직까지 성례를 치른 바가 없습죠.
남자가 있어야 시집을 가지.

도령은 길게 한숨지으며
나이에 따라 서로 배필을 찾아 주도록 하게나.
휴

그중 가난하여 결혼하지 못하는 경우에는
우리 언제 결혼해?
돈이 있어야지!

관아 사람들이 녹봉을 조금씩 모아서
결혼 성금

도와주도록
하는 게
어떻소?

아무 때고 날씨가 좋은 날에
단체 결혼식을 한번
올려 봅시다.

이에 이방과 형방이
깜짝 놀랐어.

결혼 때 드는 비용은
어마어마하옵니다.

그들을 어찌 다
도울 수 있으며

뜻이 없는 자들을
어찌 다 돌볼 수
있을까요?

《경국대전》에도 규정되어
있기를
經國大典

가난하여 나이가 지나도록 시집을 못 가는 자가
있으면 돈을 지급하고 그 아비에겐
중죄를 물으라 했소.
결혼자금 지원

정조 임금도 선비나 서민 중
가난하여 혼기를 놓치는 자를
가장 민망히 여기고

관가에서
혼수 비용을 대어
혼수비용

성혼하도록 권하셨소.

이는 우리나라 역대 임금의 전통이오.
따라서 수령은 성심으로
준수해야 하오.

많이 도와
주시오.

하긴 홀아비와
과부가 많으니

그들이 늙어 홀로 지내는 자가 많습니다요.
아~
외롭구나.

홀아비와 과부가 화합할 수
있도록 결혼하게 해 주면
좋죠.
헤헤.

이웃 마을 악한 소년들이
밤에 몰래

과부의 집으로 들어가 강제로 보쌈을
하기도 합니다.

그렇게 강제로 욕보여
그르치는 일이 많은데

수령님이 예로써
권하신다면 좋을 것
같습니다.

현대 사회도 출산율 저하와 이혼율 증가가
이슈인데
애한테
구속
받기
싫어.
삶을
즐겨야지.

조선시대에도 이런 문제가
있었나 봐.
사람이 없으니
세금이 줄고
세금이 줄어드니
나라 살림이
어렵도다.
세금

지금은
복합적인
원인으로

결혼 연령 상승, 출산율 저하 등이 생겼다고 보지.
필승
취직이 우선!
취업

하지만 조선시대 결혼 회피는 모두 민생고 때문이야.

가난하니 혼수도 못하고 예식도 치를 수 없었어.
입에 풀칠하기도 힘들어.

그런 걸 알고 도령은 목민관으로서 백성을 다 살피고 있는 거야.
결혼 자금 이오.
정말요?

이 모든 일은 백성을 사랑하지 않고는 나올 수 없겠지!
백성사랑

도령이 회의를 마치고 관청에 앉아 있는데

한 아낙네가 관아로 들어오는 게 보였어.

도령은 그 아낙네를 유심히 보면서 무슨 일인지 궁금해 했어.

그 아낙네는 관청문 앞에 걸어둔 북을 둥둥둥 울렸지.
둥
둥

그 북은 도령이 이 고을 수령으로 부임하자마자 걸어 둔 거야.
둥
둥

누구든 억울한 일이 있거든 수령에게 와서 북을 치라고 한 거지.
으아~! 억울해!

둥
둥
둥

전임 수령님께 군(부역) 면제 처분을 부탁드렸더니

하지만 손발을 못 쓰는 사람이 어떻게
부역을 할 수 있겠어.

그래서 도령은 말했지.
아낙은 들으시오.

우선 전임 수령이 그리 판단한 것은
요 전년에 흉년과 홍수로 부역자가
너무 적었기 때문이오.
한 명도 빠져선 안 된다.

그러나 올해는 복구가 많이 되었으니
면제될 수 있도록 알아보리다.
우선은 집에 가서 기다려 보시게.

그러고는 그 아낙네를 돌려보냈어.

전임 수령을 욕보이지 않고
아낙네의 부탁을 들어줬으니
이만하면 목민관다운걸.
헤….

도령은 형방을 불러 말했어.
그 아낙네와 같이 억울한
자가 와서 면제를 요청하면
들어주거라.

장님이나 절름발이, 손발을
못 쓰는 자,
잡역면제

나환자, 고자 등은 사람들이
싫어하여 고통받는 바가
클 것이네.

또 친척도 없어 떠돌아다니는
사람들이 많네.
오늘은 어디 가서 빌어 먹을까?

이를 골라 덕망 있는 자들이 보호해
줄 수 있도록 하게.
어서 오게.

또한 잡역을 면제해 주고 부역이나
세금을 내는 장부에서 빼도록 하게.
면제

곱사등이는 일을 잘할 수가 없으니 군으로 징병되지 않도록 하게.
면제

귀머거리나 고자는 자기의 힘으로 생계를 꾸리는 데는 방해될 것이 없고
일하는 데 지장 없어.

장님은 점을 치게 해 주고 절름발이는 그물 뜨는 일을 할 수 있도록 주선해 주게.
달그락 달그락
아들이야!

그러나 폐병 환자나 독한 병을 앓고 있는 사람은 돌보아 주어야 하네.
켈록.

특히 염병(장티푸스)이나 천연두를 앓는 자가 있는데
아이고…

이 중 가난한 자는 관원에서 의약을 지급해 주고

관아에서 병문안을 가도록 하게.

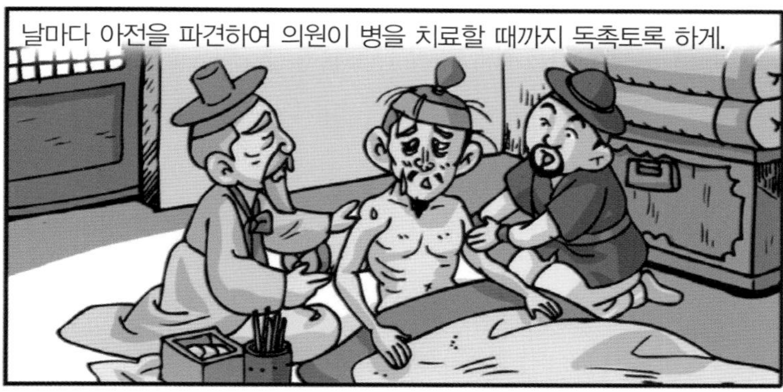

날마다 아전을 파견하여 의원이 병을 치료할 때까지 독촉토록 하게.

이때 정약용이 나타나서 도령의 어깨를 토닥여 주었어.
오늘 애썼네.

이제야 목민관이 가져야 하는 애민의 마음이 자네 가슴에 불 붙었네그려, 허허. 이제 시작이네. 자네의 이 마음을 잊지 말게나.

도령은 칭찬을 듣고 더욱 힘이 났어.
열심히 해야지.

조선시대의 신문고 제도

신문고는 조선 초기 태종(1401년) 때에 설치되었답니다. 임금에게 백성의 뜻을 직접 알릴 수 있도록 궁원 안에 북을 매달아 민원 창구 역할을 할 수 있었던 것입니다. 《목민심서》에서도 고을 관아 문밖에 북을 걸어 두는 장면이 나왔지요? 정약용이 처음 얘기한 것은 아니고, 중국에서도 이와 비슷한 제도가 있었답니다.

신문고

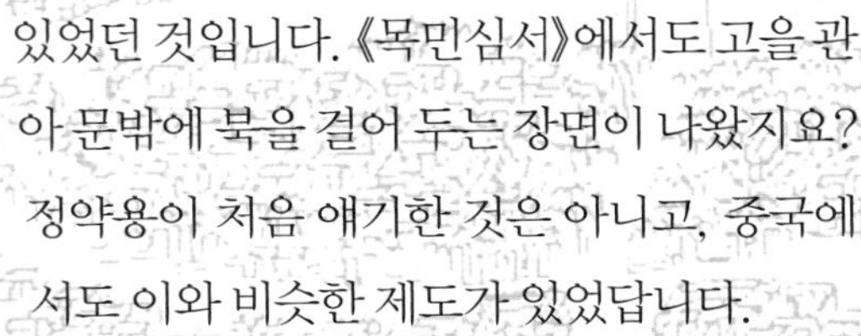

신문고의 취지는 신분의 고하(高下)와 귀천(貴賤)을 떠나 누구든지 자신의 억울한 사정을 임금에게 직접 호소하여 민원을 해결할 수 있다는 것이었습니다. 중국 송나라 제도의 이름을 따서 처음에는 등문고(登聞鼓)라 하였다가 곧, 신문고로 이름을 바꾸어 설치 운영 되었답니다. 정치의 득실에 따른 일반 백성들의 고통과 억울함을 임금이 잘 알아야 백성들을 위한 정치를 할 수 있겠지요? 바로 이런 유교의 왕도정치(王道政治) 이념을 반영하는 제도가 신문고 제도였지요.

신문고가 없었을 때에도 백성들이 왕에게 말을 하고자 하는 시도가 많았다고 합니다. 왕이 민간의 거리를 행차할 때 어가 앞에 나와 백성들이 억울한 일을 당했다고 탄원하는 사람들이 끊이지 않았다고 합니다. 그러니 왕의 행차가 소란스러워졌을 테고 이를 막으려고 군졸들이 이들을 옥에 가두고, 주모자를 처벌하는 등 강압적으로 대응했었지요. 그러니 백성의 불만이 쌓여 갔고 이를 해결하고자 백성의 뜻을 듣기 위한 제도적 장치로서 신문고가 필요했던 겁니다.

하지만 신문고는 취지와는 달리 널리 사용되지 못했습니다. 신문고가 설치된 곳은 궁궐 안에 있는 임금의 친위대인 의금부 당직청이었지요. 궁궐 안의 출입도 거의 불가능한데다가, 절차도 복잡해서 거의 사용이 안 되었다고 합니다. 신문고를 치기 위해서는 먼저 자기가 사는 지방의 고을 수령을 거쳐 관할 관찰사에 말하고, 다시 사헌부에 호소한 다음 의금부에 가서 조사를 받고 나서야 신문고를 칠 수가 있었습니다. 그리고 정작 신문고를 백성이 쳤다고 해도 담당 관리가 임금에게 보고하지 않으면 그만이었지요.

이렇게 신문고가 실제 기능은 수행하지 못했다고 하더라도, 백성의 뜻을 반영하겠다는 임금의 뜻이 담긴 상징적 의의가 있답니다. 실제 백성들의 의사가 반영되지 못했더라도 왕이나 관료들이 이러한 생각을 표방했다는 사실은 민주주의에 한 걸음 다가간 것에 틀림없었지요.

민주주의 꽃이 피었다고 할 수 있는 현대사회에서 이 신문고는 '국민권익위원회' 의 형태로 바뀌었습니다. 국민권익위원회는 행정기관의 잘못이나 제도 · 정책 등으로 인해 침해된 국민의 권리와 불편 · 불만사항을 공정하게 조사하여 시정명령 또는 제도의 개선을 살피는 제도입니다. 인터넷 주소 www.arac.go.kr 로 접속하면 쉽고 빠르게 우리들의 이야기와 고충을 정부기관에 알릴 수 있답니다.

목민관의
인재 관리법
제7장
牧民心書
茶山

도령은 관청을 두루 살펴보았어.

관청 안은 작은 궁궐 같은 곳이야.

백성들의 세금을 보관하는 창고,
세금 창고

죄인을 가둔 감옥,
잘못 했어요.

방위를 맡는 군인을 위한 훈련장,
이얍!

제사를 지내는 사당 등 이런 모든 일들이 관청 안에서 이루어지는 것이지.

곳곳을 천천히 거닐며 도령은
메모를 하기도 하고

아전들과 말을 나누기도 했어.

도령은 관청을 돌아보다가
마음에 안 드는 게 있었어.

아전들이 서로 모여 앉아 웃고 떠드는 모습이
너무 한심해 보이는 거야.
낄낄..
크크..

관청 문밖에는 백성들이
굶주려 가며
쌀이 다 떨어졌는데 큰일이다.

살기 어렵다고
아우성들인데
먹고살기 힘들다!

관아의 사람들은 이를 모른 척하고
즐거워만 보이니
야근 수당이 또 나온다며?
놀아도 타 먹을 건 먹어야쫑.

이런 모습은 관리된 자의
도리가 아니라고 생각했지.
관리들이 너무 해이해졌어.

약용은 그때
아전을 다스리는 것은 중요한 일이지.
스승님..

아랫사람을 다스릴 때는 자기 몸을
다스리는 것처럼 해야 하나
몸도 안 좋은데 들어가서 쉬게.
아닙니다. 황송하게 스리.

내 몸이 바르면 명령하지 않아도
따르는 자가 많을 것이요,
아이고~ 제게 주세요!

내 몸이 바르지 않으면 아무리
해도 따르지 않는 법이지.
야! 물 좀 떠 와!
흥!

언제나 예의와 은혜로 대우하되 잘못한 자는 법으로 단속해야 하네.
어찌 하지도 않은 야근을 했다 하여 수당을 챙기는고!
허걱! 어떻게 알았지.

만약 아전들을 업신여기고 짓밟으며 학대하면 그 영향이 백성들에게까지 미치는 것이라네.
엄한 곳에 화풀이 하네.
이렇게 짐을 많이 싣고 다니다니. 벌금 100만 원!

도령은
어찌 아전들이 저리 한가히 시간을 보내고 있단 말입니까? 지금 문밖에서는 백성들이

수령을 만나려고 줄을 서서 기다린다는데 백성들의 불만이 뭔지 알아보려 하지 않으니 어디서부터 개선해 나가야 하나요?

자네가 부임하고 나서

관아의 아전들이 누가 누군지, 무슨 일을 맡아 하는지 다 아는가?
내가 누구게요?

자네가 그들을 이끌고 가르치려고 한다면 무엇보다 그들을 이해해야 하지 않겠는가?
어머님이 편찮으시죠? 여기 약.
힝~

우선 아전들의 이력표를 총괄하여 만들어서 책상에 놓도록 하게.
청소관리
김아무개

그들의 일을 정확히 파악하고 농간을 부리는 자가 있으면 정확히 기록하여
요만큼 가져두 아무도 모르겠지.

형벌로 다스려야 하네.
탈취 세금 50배 벌금
아이고!

수령의 정치는 관아의 아전들을 잘 단속하는 것에서부터 출발한다는 것을 잊지 말게나.
잘 지내시죠?
네.

윗자리에 있으면서 너그럽지 못한 것을 가장 경계하게나.
똑바로 햇!

너그러우면서도
德

해이하지 않으며

지혜로우면서도 나약하지 않아야 하네.
正
지혜

가르쳐도 따르지 않으면 그때는 위엄과 형벌로 징계하는 것이지.
위엄

아전의 우두머리 중 포악한 자는 비석에 그 이름을 새겨서 영원히 아전이 될 수 없게 하는 것도 잊지 말게.
박아무개

수령의 임기는 짧지만 아전들은 수령이 바뀌면
임기종료

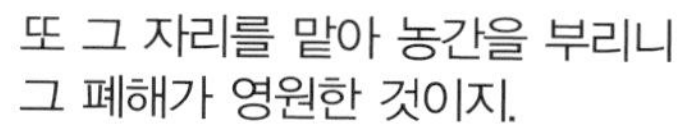
또 그 자리를 맡아 농간을 부리니 그 폐해가 영원한 것이지.

아부
아첨
이쁜척
새수령

도령은 고개를 끄덕이며
명심 할게요.

아전들의 명부를 꼼꼼히 작성했어.

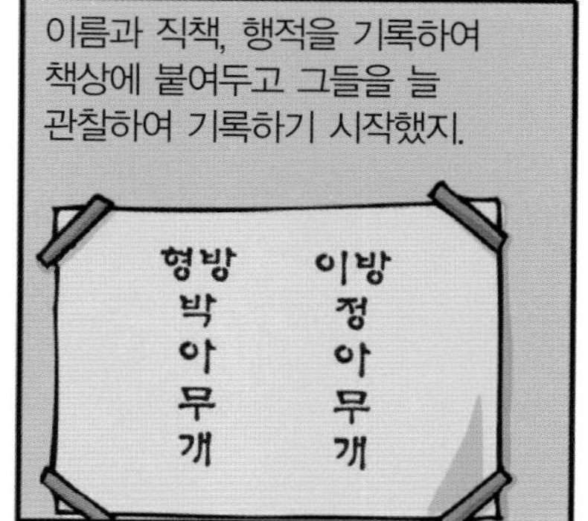
이름과 직책, 행적을 기록하여 책상에 붙여두고 그들을 늘 관찰하여 기록하기 시작했지.
형방 박아무개
이방 정아무개

그리고 고을의 아전들을 모두 모이도록 지시했어.
내 집안 식구들을 잘 알아야 할 것이기에 여러분들을 모이라고 하였소.

내가 부임하기 전에 있었던 작은 과실이나 흠은 너그러이 용서해 주겠소. 하지만 앞으로 일어날 수행의 결과는

모두 기록하여 차기 수령에게 남길 것이오.

그 잘못이 큰 자는 동네 입구에 비석을 세워 이 마을의 출입을 금지할 것이니

공무 수행에 조금의 흉포함이나 농간이 있어서는 안 되오.

그 말을 들은 아전들은 눈을 동그랗게 뜨며 놀라는 기색이 완연했어.

잘못한 자에게는 벌로써 징계할 것이나
켁!

공적이 있는 자는 연말에 반드시 포상을 내릴 것이네.
웬 떡이냐!
포상

내가 부임해 있는 동안은 지켜질 것이니 항상 염두에 두게.

자네들에 대한 상과 벌이 분명해야만
백성들이 관아를 믿고 따른다고 생각하네.
관아
우리 사또님이 잘 하시는구나.

자네들끼리 모여 농간을 부리거나
사사로이 백성들의 집을 방문하는
일은 내가 제일 꺼리는 것이니
헛!
또 왜?

각별히 조심해 주게.

아전들은 자리에서 물러나와 서로
걱정을 나누었어.

이걸 어쩌나. 나는 백성들과
사이가 안 좋은데….

이걸 사또님이 아시면 금방이라도 경을 치지 않겠나?

잘 있어.
걱정 말게나.
이러니 저러니해도
수령은 한 번 가면
오지 않는
손님이라네.
임기 끝

조금만 참고 견디다 보면
물 흐르듯 가 버리실 거네.

아니야. 그리 호락호락하게
보지 말게나.

임기가 짧더라도 한번 엄포한
일은 반드시 실행하실 분이니
우리 모두 몸 조심하자구.

그나저나 백성들을 직접 만나 쌀이나 돈을 걷지 말라고 하시니

짭짤한 재미가
없어지겠군.

나는
무서우이.
예전에
했던 대로
한다면
벼락이 내릴
것이니

올해는 더 조심해야
할 것 같네.

암튼 예전과는
달라져야 해.
달라야 하지.

도령은 지나가면서 그들의 대화를
듣고서는
수령의 임기가
6년은 보장돼야
아전들의 행동을
바로잡을 수
있을 터인데.

요즘은 당파 싸움에 따라 수령이 바뀌니
내
이번엔!
안 돼!

어찌 수령이 제 뜻을 온전히
펼 수 있을까?
야! 너희 당
망했어!
짐 싸갖구 가!

이런 정국에 백성들은 누구를 믿고
의지한단 말인가!
또 바뀌는군,
쯧쯧….

하며 길게 탄식했어.
후~우!

이때 약용은 도령에게 가서

목민관은
철저히
고립된
존재라네.
외로운
법이지.

아전을 너무 믿지도 말고 그들을
멀리하지도 말아야 하네.
사아또!
이걸
믿어
말어?

무엇보다 중요한 것은 자네의
눈과 귀를 맑게 하는 거지.
이렇
게요?

백성들의 생활을 직접
보고 듣고 싶어요.

어떻게
하는 게
좋을까요?

아전들에게 물어봐도 다들 자기
이익에 따라 말을
전할 테니
모두들
너무 잘
지낸다
하옵니다.

뭘 믿고
행정을
펴야
하나요?

일 년에 네 번, 계절마다 백성들에게 공고를 하여 하고 싶은
얘기나 세상 돌아가는 이야기를 할 기회를 주게.
공고문

자신들이 직접 이야기를 하는 것이니
상세하기로 말하면 이보다
좋은 게 없을 것이네.
그게요…
그러니깐
이러쿵
해서…
저러쿵…
된 것입죠.

아니면,
고을 선비 중에
마음가짐이
단정하고
깨끗하며
실무에
능한 자가
있으면
아,
저요?

그를 시켜 민간의 일을 몰래
살펴보도록 하는 것도 좋네.

아하!
그렇게 하면
되겠군요!

제가 예전에 백성의 옷차림을 하고
마을을 돌아다닌 적이 있었는데

백성의 소리를 직접
들을 수 있어 좋았어요.

또한 자네 가까이 있는 사람들의 말을 그대로 믿어서도 안 되지.
비록 아무 의미 없이 하는 말 같지만 모두 사사로이 뜻을 두고 수령에게 말하는 것임을 잊지 말게.

그러려면 옛글도 많이 읽고 법전도 많이 찾아봐야 하지.

네, 잘 알겠습니다.

그래서 스승님께서 법전과 옛 고전을 부임지에 가져가야 한다고 하신 거군요.

법전을 잘 읽고 살펴서 할게요.

도령은 마을 선비들을 불러 이야기를 듣고자 했어.

다들 어떻게 지내시는가요? 학문을 닦고 몸을 깨끗이 하려면 현실적인 어려움이 많을 터인데.

어려움이 있으면 허심탄회하게 말씀들을 해 보세요.

맑은 의견을 듣고 수령으로서 미진한 부분을 찾아 메우려고 합니다.

수령님이
부임해
오신 후

농사는 그리 더 잘됐다고 할 수 없는데도 서민들의 생활이 곤궁하지는 않습니다.
농사를
망쳤구먼.
어려울 때
일수록 서로
도와야죠.

다 이토록 잘 살펴주시고 알아봐주시는 바에 기인한 것이 아닌가 싶습니다.

저희처럼 공부만
하는 선비들은

세상 돌아가는 일에
어두운 게 많은데
야호!
4강이
다!
붉은악마
고시
뭔
일이야?

이토록 친히 불러
여쭈어 주시니
감사할 따름이지요.

공부를 하고 글을 읽는 것이 가족들에게 보통 미안한 일이 아니죠.
선비된 자로서 글 읽기를 게을리 할 수 없으나
생계가 어려워지니 참 힘듭니다.
쌀독이
바닥난 거
안 보여요?

그런
어려움이
있었군요.

이런저런 이야기를 주고 받으며 선비들과 대화를 나누던
도령은 마을 형편을 더욱 깊이 이해하게 되었어.

오늘 하루
수고 많았네.

선비들을
만나 보니
소감이 어떤가?

다들 지혜가 넘치고
학문이 높아 배울 바가
있었습니다.

그런데 다들 벼슬자리에
못 올라 생활이
어려우니
큰 걱정이네요.

뛰어난 인재를
임금께 추천하는
일은 수령의
직무네.
추천서

제도가 예전과 달라져 요즘은 수령이
인재를 추천하지 않기도 하지만
맹자왈..
공자왈..
헉!

뛰어난 자를 고을에 숨겨 둬서는
안 되지.
나보다 더
출세하면
안 되지,
큭큭.

경서에 밝고 행실이 뛰어나며
전부 읽었어.

행정 능력이 있는 사람을 추천하여 나라에
도움을 준다면 얼마나 좋은 일인가?
꼭
필요한
인재
입니다.
오~

훌륭한 선비를 찾아내고 이를 추천하는 일을
게을리 해서는 안 되네.
경제야!
인재야!

네!
그들을 도울 수 있다면
한번 해 보겠어요.

경서 읽기를
부지런히
하고

수행이 맑은 선비는 자네가
직접 찾아가 방문하여 예로써
대우해야 하네.

자네가 마을의 우두머리라고 하여 덕행과
학업이 높은 자를 얕잡아 본다면
이런 한심한 양반이 있나.

그것보다
어리석은
일은
없다네.

명심하겠
습니다.

도령은 마을의 선비와 자주 토론하기도 하고
그러니까
….
옳으신
말씀이오.

그 집을 찾아가 학업을 독려하기로 마음먹었어.

그중 우수한 선비는 임금께
추천하여 벼슬자리를 얻을 수 있도록
해 주고 싶었지.

관리들을 뽑아
쓰는 데도
마음을 쓰게나.

나라를 다스리는 것은 사람을
쓰는 데 있다네.

고을은 비록 작으나 사람 씀의 중요함은 변함없지.
책임지고 마을을 돌보겠습니다.

직책의 성격을 잘 파악하여 거기에 맞는 관리를 등용해 관아의 질서를 잡을 수 있어야 하네.
특기가 뭐예요?
암산이오!

수령의 보좌관 담당은 선한 자에게 맡기고
인상도 괜찮죠.
비서

군관과 장관은 씩씩하고 용감하며 외적을 방어할 수 있는 기상이 있어야 하지.
헉!
빠샤!

관아의 창고 담당은 특별히 청렴하고 깨끗한 자를 적임자로 골라야 하는 것도 잊지 말게.
탈탈
전 털어도 먼지 하나 없어요.

수령은 신중하게 인재를 고르되, 충성스럽고 진실한 사람을 우선으로 해야 하네.
충
청렴

재주와 슬기로움은 그 다음인 것이지.

인재를 키우는 것도 어렵지만, 그 인재를 적재적소에 배치하는 것도 어려운 일이겠네요.

도령은 적임자를 골라 관아의 일을 맡기고

그들과 정사를 같이 의논한다면

수령으로서의 직책을 수행하기가 훨씬 효율적일 거라는 생각이 들었어.

정약용과 그의 형제들

정약용이 천재 학자라고 인정 받을 정도로 실학의 선구적 인물이라는 것을 이젠 알겠지요? 이번에는 정약용의 형제들에 대해 이야기하려고 해요. 보통 형제 중에 한 사람이 유명해지면 다른 가족들은 그 빛에 가려 '00의 형' 이나 '00의 동생' 으로 남기 쉽지요. 그런데 정약용은 자신뿐 아니라 그의 형제들도 유명했답니다. 정약용의 형이었던 정약전과 정약종은 조선 후기 각 분야에서 뚜렷한 공적을 남긴 인물로 평가 받고 있습니다.

먼저 정약전에 대해서 알아보겠습니다. 정약전(丁若銓, 1758~1816)은 《자산어보(玆山魚譜)》라는 우리나라 최초의 해양 생태학 전문 단행본을 남겼습니다. 그런데 이 《자산어보》를 남길 수 있었던 이유가 바로 유배 생활 때문이라고 합니다. 유배지에서 좌절하지 않고 열심히 공부한 결과 그렇게 훌륭한 책을 쓸 수 있었던 것이지요. 과거시험에 합격하여 정조의 총애를 받기도 했지만 (정약용과 같은 이유인) 서학(西學) 천주교를 믿었다는 것 때문에 박해를 받았고, 그래서 멀리 떨어진 이 섬 저 섬으로 떠돌아야 했답니다. 그것을 보면 박해와 시련 끝에 위대한 일을 할 수 있는 기회가 주어지는 게 아닐까 싶어요.

정약전에 대해 약용이 말하길, "약전 형님은 재질로

말하면 나보다 훨씬 낫지. 머리가 좋아서 수학책을 보면 금방 이해가 간다는 거야. 어려서부터 자유분방하고 얽매이기를 싫어해서 커서도 길들여지지 않는 사나운 말 같아."라고 회상했습니다. 그런 성격 때문에 새로운 학문에 대한 호기심을 가졌고, 해양 전문 서적인《자산어보》를 남길 수 있었던 것입니다.

정약종이 쓴《주교요지》

약용의 셋째 형인 정약종(丁若鍾, 1760~1801)은, 천주교 영세를 받고 한국 최초의 천주교 신학자이자 학자로 평가받고 있습니다. 그는 약전의 권유로 천주교에 대해 알게 된 후 '아우구스티노'란 이름으로 세례를 받았습니다. 이후 형제들과는 달리 더 깊게 천주교에 빠져 든 정약종은 열성적으로 교회를 위해 헌신했지요. 그리고 한글로 천주교 최초의 교리서인《주교요지(主敎要旨)》라는 책을 저술했습니다. 당시 천주교는 양반이었던 사대부를 중심으로 퍼졌는데, 이것을 한글로 기록하면서 서민들에게도 천주교를 전할 수 있었던 중요한 계기가 되었습니다.

정약종이 쓴《주교요지》란 책은 천주교의 역사에 중요한 역할을 했습니다. 오랜 박해에도 불구하고 천주교란 신앙이 면면히 유지될 수 있었던 것은 바로 대중들에게《주교요지》라는 책이 전파되어 있었기에 가능했지요. 목숨을 다해 지켰던 정약종 한 사람의 삶이 한국 천주교회를 세울 수 있었던 힘이 되었던 것입니다.

제8장

목민관의 세금 제도 운영법

우리나라 세법이 본래 잘 정리되어 있지 않아 더욱 어려운 거지.
토지세

쓸모없는 법들이 많다보니
간접세법

자네가 살필 일들이 한두 가지가 아닐 걸세.

이 마을에서 거두어야 할 세금의 총액이 있는데 이를 맞추는 것이 보통 어려운 게 아니에요.

이 장부의 기록과 다른 것도 너무 많고
장부

토지 매매에 의해 세금 납부를 누가 해야 하는지 바뀐 것도 너무 많은데
토지거래
취득세

이를 다 어떻게 살펴 기한을 맞추지요?

너무 겁먹지 말게나. 차근히 정리하다 보면 그리 두려운 것만은 아니네.

우선 자네가 제일 먼저 신경써야 할 일은
1

토지를 개량하는 일이네.
토지

장부에 누락되어 있고 숨겨져 있는 땅이 있으면 그것을 찾아야겠지만 그리 쉬운 일이 아니지.

묵은 것을 조사하는 데 총력을
기울이지 말고
쿵

새로운 땅을 개량하여 밭을
일구도록 백성들에게 알리게.
저 동산을
개간하면….

토지를 개량하여 백성들이 자신들의 논밭을
가질 수 있도록 수령이 안내해야 하지.

이에 따르는 혜택을 농작인에게 줄
것이라고 명백히 하게나.
만세!

그러면 백성을 해치지도 않고
특소세

나라에 손실을 가져오지 않을 수
있다네.
세금
백성들이 잘
사니 세금도
많이 걷히네.

개량의 혜택을 백성들이 골고루 나누어 가질 수 있도록 추진해 보게.
내 땅이니
열심히….
난 특용
작물을….
내 논이
생겼다.
담배 목화 채소

아~
새로운 땅을
개간
하라구요?

자갈이나 바위로 가득한
거친 밭을 누가 손보려고
할까요?

그러니
수령이
나서야
하는
것이지.

묵은 논밭을 개간하는 것을
백성들에게 맡겨서는 안 되네.

힘든 일이기에 수령이 정성으로 권유하고 도와야 하는 것이지.
장비 무상 대여.

해마다 온갖 방법을 동원해서 세금을 내지 않는 자가 늘고 있다네.
못 내!
군인 토지
궁궐 토지
우린 특권층 이지롱.

이렇게 국가에 납부하는 세금이 해마다 줄어드니
데구르르

장차 이 나라가 어찌 되겠는가?
조선
도와 주세요.

도령은 고개를 끄덕이면서도 표정이 어두웠어.

세금 행정을 통해 백성을 공평히 대하고 나라를 부강하게 만들 수 있다는 생각을 하니 어깨가 무거웠지.
세금
세금
조선

다음 날 호방을 불러 말했지.

오늘부터 백성들이 소유한 논밭을 다시 한번 조사해 보겠네.

여기 있는 장부와 오차가 있는 듯하니 기초 자료가 정확할 수 있도록 힘써 주고
토지대장

우선 이 일을 담당할 조사원을 뽑아서 내게 보내 주게나.

조사원은 성품이 바르고 지혜가 있으며,
백성들에게 신망이 두터운 사람으로 잘 뽑아 주게.

호방은 조사원과 같이 도령에게 갔어.
여기….

자네가 중요한 일을 맡아 해 주는군.

어려운 일이 생기면 내게 바로 도움을 청하게.

내 할 수 있는 만큼 자네의 고충을 덜어 주겠네. 다만 백성들의 토지를 조사하는 데 있어

법에 의하지 않고 관례나 친분으로 거짓 정보를 기록한 게 한 가지라도 있을 땐
좀 줄여서 기록해 주게.
뇌물

내가 할 수 있는 가장 강한 벌을 줄 것이네.
추방

마음에 새겨 두게나. 내가 자네를 위협하고자 하는 것은 절대 아니네.

자네의 일이 그만큼 중요하기에 잘 부탁한다는 것이지.

하며 조사원에게 악수를 청하고

어깨를 두드리며 정성스럽게 대해 주었지.

조사원은 자신이 맡은 일이 얼마나 중요한지 들으니 사명감이 높아질 수밖에….
내가 정말 중요한 일을 하는구나.

그는 고을의 토지 장부를 정리하는 일쯤으로 생각했는데
땅이 어디로 도망가나?

이번 수령이 가장 역점을 두고 펼치는 행정이라는 것을 느낄 수 있었지.

특히 올해는 홍수와 가뭄으로 흉년이 든 해이니 더욱 세심하게 살펴야 했어.

이런 해엔 조사원의 선발에 더욱 신중을 기해야 하거든.
맡겨 줍쇼!
밥은 줘요?
꼼꼼히 할게요.

조사원이 실제로 조사한 장부를 다시 세세히 분류하여 재해를 입은 토지, 모를 못 심은 토지, 세금을 감면받은 토지를 나누었어.
재해 토지
농사 못지은 토지

그리고 토지에 세금 징수가 확정된 후에는 이사를 오거나 가는 것을 엄금하도록 명령했어.
이사 금지.

세금을 내지 않기 위해서 백성들이 일부러 옮겨 다니는 것을 막기 위함이야.
도시가스
전기세
수도세
냅다 튀자!

이때 약용이 나타나
특히 간악한 아전이

백성들의 토지 중 세금이 부여되지 않는 것을 몰래 빼앗아

면세 지역으로 이사 가는 경우도 있다네.
여기선 세금 안 내도 되지~.
갈취
면세지역

이는 조사하여 반드시 밝혀내야 하네.
깽!

아전들이 주거지를 옮기면서 백성의 재산을 가로채고 세금을 빼돌리는 일도 있으니 아전들이 이사를 아예 말도록 하는 것도 좋은 방법이지.
전 아들이 없어요.
장부에는 있어. 세금 내놔!
세금갈취
착취
탈루

우선 마을의 세금을 징수하려면 부자들을 먼저 조사하여
내 재산이 뭐?

따로 책자를 정리해 두는 것도 좋네.
박첨지

나라 세금 중 많은 부분이 이들의 세금으로 채워지는 법이지.
아이구~ 내 재산! 배 아파!

물론 실제를 정확히 조사하는 것이지만 형편이 어려워 남의 논밭을 소작하는 백성들에게는

쌀 한 되도 세금으로 내기 힘겨운 법이지.
쌀 한 됫박이 전부인데. 아이고~
세금

부유한 집의 논밭 소유와 생산물을 정확히 파악해 두는 것이 먼저 할 일이지.

장부 정리는
이제 거의
다 된 것
같아요.
토지

이대로 세금을 걷으러
다니면 될까요?
그게 무슨
말인가?

자네가 관아에서
조사한 내용에
허실이 있는지
백성들이
알아야 하지
않겠는가?

분류한 내용대로 나열해서 책자를
작성하게.
서민
중산
면제자
고소득
고소득

그리고 각 면에 반포해서
면 소재지

미래의 참고 자료로 삼을 수
있도록 해야지.
일하기가
훨씬
편리하군.
퉤!

백성들이 두루 보고 혹 의심을 품거나
불만이 있는 자가 없도록 해야 하네.
나는
재산이 없으니
세금도
적구나.
토지 대장

아!
그렇군요.

그런데 백성들은 이 장부를 보고
자신이 내야 할 세금을 모두
낼 수 있을까요?
토지대장

흉년으로 많이 어렵다는데 그게
걱정이네요.
허~이~구!

약용 왈, 백성들은 토지에 대한 세금 말고도
많은 잡부금이
있다네.
잡부금
기본 부과금
외에
잡다하게
물리는 세금
공기세
지방세
음식물세
노인세

부가 세금도
무거운데 백성들이
어떻게 살아가는지
살피는 것도 잊지
말아야지.
10톤
부가세
헉!

그렇군요.

국가에 낼 세금의
총액을 맞추고
나서

여유가 생기면 서민들의
부가세에는 약간
너그럽게
해야겠어요.
면제
노인세
면제
등록세
면제

부가세는 아전들의 침탈이 더욱 심하다고
들었는데
숨쉬는 것도
세금
걷어가냐!
세금
찬탈

조금이라도 민폐를 덜려고
노력해야지요.
참!

아까 아전들을 시켜
세금을 거두러
다닌다고
했나?

그런 짓은 절대 해서는 안 되네. 세금으로 거두는 쌀을
모을 때는 반드시 수령이 몸소 나가서 받아야 하네.
세금

창고로 직접 나가 있어야 아전의 농간을 막을 수
있는 법이지.
지켜보고
있으니
슬쩍
하지도
못하겠네.

그리고 세금을 걷을 즈음에는 마을에 잡류가
출입하지 않도록 신경 써야 하네.
출입금지

잡류란 놀이패나 기생, 광대 등을
말하는 거지.

사람들이 유혹에 빠져

세금으로 내야 할 돈을 허비하는 일이 없게 해야 하네.

목민관은
살펴야 할 일도
무척 많네요.
그렇게
해야겠어요.
토지

혹시라도
백성들이 내기로 한
세금 액수가
기한을
못 맞추더라도

아전을 보내서 독촉해서도 안 되네.
세금 내놔!

세금 납부에 엄정을 가하면
자연히 백성들은 그것을
지키려고 하지.
독촉

아전들을 풀어 민가를 수색하고
납세를 독촉하는 것은

마치 늑대를 양 떼에 풀어놓는 것과 같지.
크헝!

백성을 괴롭히는
일을 해서는
안 되네.

해서는
안 되는 일이
이리 많은데
세금이
잘 걷혀질지
걱정이에요.

법으로 금지하는 것은
자세히 검토하여 엄격히
지키도록 하며
禁
금할 금

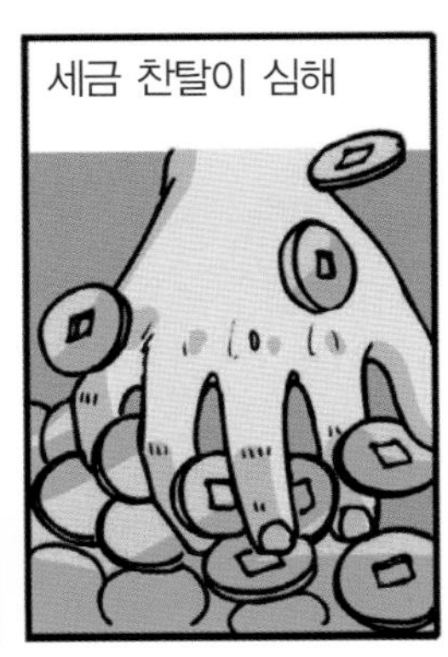
세금 찬탈이 심해

고통을 많이 받는
가난한 백성은

너그러이
대하도록 하게.
세금환급

모든 백성들에게 세금을 엄격히 받는 것이
아니라 재산의 상황이나
그 정도야
뭐….
특별소비세

생산물의 양에 따라 조절해
주어야 하는 것이
적조 땜에 물고기가
다 죽었어, 엉엉.
세금
면제

목민관이 할 일이지.

또한 지방에 따라 풍속이 달라서
영광굴비가
최고랑께!
머라카노!
영덕대게가
데끼린기라.
영광
굴비

종자(씨앗) 대금은 지주가 부담하기도 하고,
올해도
농사
잘 지어
주게.
종자

수령이 강제로 정하지 말고 풍습 여부를 파악하여 순응하는 것이 백성들에게 원망을 듣지 않는 바이겠지.

자네들의 오늘 일이 임금께 누가 되지 않도록
엄정함을 잃지 말아야 하네.

모든 창고의 장부 기록과
대조, 수납은
창고장부

절대 한 사람이
맡아서는 안 되네.

두세 명의 아전이 한 조가 되어 수납받도록
조정하였으니 절대 부정한 일이 일어나선
안 되지.
곡물담당

수납하는 숫자를 내가 나중에
일일이 확인할 터이니
김분녀
쌀 5가마 4
조 달수
비단 3필

오늘은
수고들 해
주게나.

아전들은 각자 맡은 위치를 찾아가
백성들이 가져온 곡식과 세금을 받았어.

아전들은 여럿이 한 조가 되어

한 사람은 장부의 이름을
부르고
박말순 씨!

또 한 사람은 세금의 명목에 따라
그 적당량을 확인하여 받으니
삼베
다섯 필.

한 치의 부정도 끼어들
틈이 없었어.
독한
녀석들.

도령은 세세히 살피고
아전들이 백성들의 수납을
처리함에 사사로이 하는 자가
있는지 확인했지.

고생하는 아전을 격려하면서 온종일
관아 주변을 살폈어.

닷새에 걸쳐 백성들의
세금을 모두 거두고
나니

도령도 아전들도 모두 지쳐 버렸지.

다음 날 일찍 일어난 도령은

세금 장부를 보고 출납과 수납의 총액을
맞추고 이상이 있는지 확인해 보았어.

그때 초라한 몰골의 한 사람이
관아에 와서 도령을 만나길
원했지.

도령은 그에게 이유를 물었더니
그 양반 왈
저는 ㅇㅇ면에 사는
조ㅇㅇ이옵니다.

공부에 전념한 지 십 년이 넘어

농사거리도 없고 양식거리도
없어

이렇게
염치 불구하고
수령님을
뵈러 왔습죠.

저번에 세금을 거두실 때
관아 창고가 양식으로 그득한 걸
보았는데

조금 빌려다
먹고 싶습니다.

*별환 – 아전들이 여러 가지 구실을 붙여 나라의 곡식을 개인적으로 타 내던 일을 말한다.

다른
아전들에게도
전하여

저번 곡식 수납에 있어서 부정하게 이득을
취한 자가 있으면
세금창고
이럴 때
슬쩍
안 하면
언제 해?
흐흐.

찾아와서 죄를 빌도록
하게.
죄송
혀유.

그 죄는 미워할 것이나 사람을 미워하지는 않을 걸세.
부당
취득
과태료
원곡
취득전답
책임지고
물러납니다.
사직서

부정을 저지른 자는 재산을 조사한 후
이득으로 취한 논밭과
압수

의복, 농기구 따위를 몰수할 것이네.

이것도
널리 알려 주게.

도령이 쉬고 있자니
약용이 나타나서

모든 일이
끝났다고
생각하지
말게.

이제부터
또 시작이네.
모든 세금의
근원이며
부역의
근본은 무엇
이겠는가?

글쎄요?
올바른 징수가
아닐까요?

올바른 징수가 되기
위해서는 무엇을 해야
하느냐
말인가?

도령은 고개를 가우뚱했지.
?

누가 얼마나 벌었는지, 식구는 얼마나 되는지,
재산은 얼만지 등 모든 것이 다 중요한
거잖아.
많이
벌었다.
고생했어요.
와!
부자다!

바로
호적을
정리하는
것이
근본
이라네.

호적을 바르게 정비한 후에야
세금이나 부역이 바르게 시행될
수 있는 것이지.
호적등본

호적이 문란하면 아무리 잘 거두어
들인다 하더라도
기강이 세워지지
않는 법이지.
건강
보험료
혼자 사는데
왜 이렇게
많이 나와?

호적을 다시
재정비해 보도록 하게.

우선 집터를 먼저 조사해야지. 그 다음 그 집에 사는 사람의
수를 헤아려 정확히 기록해 두어야 하네.
우리 가족은
네 명.

아, 그렇군요.. 호적 정리가 안 되어 있으면
아무리 공정히 세금을 거둔다고 해도
모래 위에 지은 성 같겠네요.

그렇지.

나이를 보태거나 줄이는 자,
선비를 사칭하는 자,
민증 까슈!
어른을 몰라봐?

관직을 꾸며내는 자, 생산물을 속인 자,
거짓으로 홀아비라고 말하는 자를
나 청와대에 있어.
수입식품
나 총각 이야!

모두 조사하여 엄하게 해야지.
철컥

그러면 억울한 일을 당하는 사람이 줄어들게 되는 것이지.
큰일 날 뻔 했다.

예전에는 갓난아이가 성인으로 둔갑하고, 개나 돼지가 사람이 되기도 하고
저희도 공공근로 나가야 한다고요?
군대 가라고요?

집 안의 절구에도 세금을 부과했다는 얘기가 떠도네.

관아의 기강이 얼마나 흐트러졌는지 짐작이 가는 말이지.
일단 많이 걷고 봐!

도령은, 호적을 정확히 조사하여 기록하기 위해서는 다섯 집을 묶어 통(統)으로, 열 집을 묶어 패(稗)라고 한 예법을 쓰면 어떨까 생각했어.
통과 패로 나누면….

관원들이 아무리 조사한다고 하더라도 백성들 중 속이려는 자가 있을 것이니 이를 다 어떻게 막겠어?
아이고 힘들어.

마을사람들끼리 묶어 놓으면 서로 세간살이를 알고 있을 터이니 부정이나 거짓으로 조작할 수 있는 부분이 줄지 않을까?

호적이 정확해야 거기에 따른 세금, 부역, 군역 등을 고르게 할 수 있는 거지.

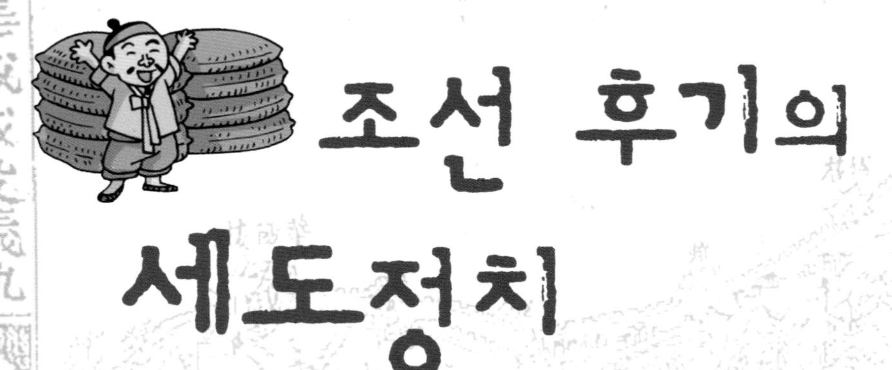

조선 후기의 세도정치

《목민심서》의 내용을 읽다 보면 '어쩜 조선 시대는 저렇게 가난하고 어려울까?' 라는 의문을 품게 됩니다. '백성들이 저렇게 가난한데 도대체 정치하는 사람들은 뭘 한 거야.' 하고 말입니다. 이런 궁금증은 19세기, 즉 순조 임금 때부터 약 60년간 행해진 세도정치로 설명할 수 있을 겁니다. 백성들이 가난해도 왕권이 약했기 때문에 제대로 된 정책을 시행할 수 없었던 세도정치의 시기였던 겁니다. 정약용도 순조 임금 때 귀양살이를 시작하는데, 이렇게 인재들이 귀양살이를 하게 된 것도 세도정치의 폐해라고 할 수 있답니다.

세도정치는 조선 후기, 즉 19세기에 특정 가문이 권력을 독점하는 정치 형태를 가리킵니다. 처음에는 안동 김씨가 순조의 친척으로서 정권을 잡았지요. 순조가 죽자 헌종이 8세 때 왕위를 이어받았습니다. 옛날에는 왕이 나이가 어리면 왕이 커서 제대로 왕 노릇을 할 수 있을 때까지, 대비(왕의 어머니)나 혹은 대왕대비(왕의 할머니)가 왕을 대신해서 나랏일을 돌보는 '수렴청정' 이란 제도가 있었답니다. 헌종의 할머니가 수렴청정을 하게 되었고, 수렴청정이 끝나고 난 후에는 헌종의 외할아버지인 풍양 조씨가 잠시 정권을 잡았습니다. 하지만 헌종도 23세의 젊은 나이에 죽게 됩니다. 곧이어 철종이 즉위하면서 안동 김씨가 다시 권력을 잡게 되었습니다.

이렇게 해서 3대(순조-헌종-철종)에 걸쳐 약 60여 년간

철종

의 세도정치로 어린 왕들의 잦은 교체, 그에 따른 외가의 가문들이 정권을 잡았다 놓았다 한 것입니다. 이런 세도가의 권력은 절대적이어서, 왕도 이들의 비위에 거슬리는 소리를 할 수가 없었습니다. 그러니 왕은 백성을 위한 정치를 행할 수 없었고, 관리에 오르거나 오르려고 하는 사람들은 세력 있는 가문에 잘 보이려 애쓰고, 가문들끼리는 각종 알력이 생기다 보니 조선 후기의 정치는 방향을 잃기 시작했습니다. 왕이 정치를 잘 할 수 있도록 보좌해야 하는 정치인들은 세력가문에 줄을 대기에 바빴고, 아무리 출중한 인재라 하더라도 유명한 가문이 아니면 출세할 길이 막혔으니 정치는 백성들과 괴리될 수밖에 없었던 것입니다.

세도정치의 종말은 고종이 즉위한 후 찾아 왔습니다. 고종의 아버지가 바로 흥선대원군이었습니다. 고종도 어린 나이에 왕위에 올랐을 때 약 2년 정도 수렴청정을 해야만 했습니다. 수렴청정이 끝난 후 고종이 정치를 했지만 실제로는 고종의 아버지인 흥선대원군 이하응이 정국을 주도했습니다. 외척 세력에 의한 세도가문의 힘은 강력한 왕권을 도모했던 흥선대원군의 노력으로 약화되었습니다. 하지만 세도정치로 약해진 조선 정치의 부실함은 일본과 중국, 서양의 제국주의의 물결에 또 한 번 크게 소용돌이에 휩쓸리는 근대사의 아픔을 가져왔지요.

흥선대원군

제9장
목민
목민관의 풍속과 군자 다스리기

도령은 아침 일찍 일어나
목욕 재계하고

옷을 단정히 입고 사당에 들어갔어.
경건한
마음으로.

그렇지. 바로 제사를 지내기 위한 거야. 수령이 지내는
제사는 일 년에 네 번 있었어.

그중 공자의 사당에 올리는 제사를 문묘(文廟)라고
하는데 가장 대표적인 제사지.
공자

제사는 의미를 새기고 마음을
기울여야 해.
조상님을 추모하고
은혜에 보답코자…

형식만 그럴싸하다고 공경하는 마음이
생기는 게 아니거든.
낄낄…
푸하핫
고얀
것들.

오늘은 제사를 지내는 날.
와!
맛있는
냄새.

많은 손님들이 제사를 지내기 위해 관아를 찾아왔고

부엌은 제사 음식 준비로 분주했어.

수령은 하얀 종이를 내어 제문을 쓰고
옮기는 데 정성을 다했지.

제문 쓰기를 마치고 도령은 관아를
다니며 제사 준비에 차질은 없는지
살피기 시작했어.

그런데 준비한 음식이 생각했던
것보다 너무 많은 거야.

그래서 도령은 예방(禮房)을
불렀어.
찾으셨사
옵니까?

제사를 지내는 음식이
너무 야박해도 안 되지만
예법에 맞을 정도로 준비하면
된다네.

너무 후하게 한다면 그것은
사치라고 할 수 있네.
푸짐한 게
좋은 거
아니셔?

제사의 근본은 정성이지 낭비가 아니라네.
흉년이라 냉수 한 그릇 밖에….
기일을 잊지 않은 것만도 고마우이.

지금도 굶주린 백성들이 많은데 기름 냄새를 이토록 풍겨서야 조상님이 좋아하실 리가 없네.
살아 있는 사람 먼저 챙겨야지.

술과 과일은 제단에 올릴 정도로만 하고

나머지 음식도 손님들에게 욕먹지 않을 정도로만 하게.

제단에 올릴 음식만 한다면 접대를 어찌 합니까?

손님으로 각 고을에서 오시는 수령님들과 감사님(수령의 상관)이 오실 텐데요. 너무 부끄럽죠.

이게 다 수령님 얼굴을 봐서 준비한 거예요. 어찌 소홀함이 있겠습니까?
이제야 체면이 바로 서겠군.

자네의 마음은 고마우네.

하지만 상관을 대접함에도 어찌 예법을 넘어 할 수 있겠는가?
엥? 이게 다야?

예법에는, 후하나 정도에 넘치지 않아야 하며

박하나 정도에 미쳐야 한다고 하였네.
물그릇 하나는 큼직 허구먼.

내 우리 고을의 제사 준비를 보면 분명 정도에 넘치니 음식과 물품을 줄여 주게.

백성들의 어려움이 한결같은데 어찌 우리 고을의 제사를 부족하다 하는 자가 있겠는가?
이 가난은 언제나 풀릴꼬.

내 말 명심하게.

예방은 도령의 말을 듣고 부엌으로 건너가

밀가루며 술이며 기름을 거두어 창고에 넣었어.

정갈하고 단아하게 제사상을 차리고

손님들에게는 제단에 올라갔던 음식을 나누어 먹도록 했지.

누구도 부족하거나 넘치는 바 없이 공경하는 마음과 정성의 마음을 느끼고 돌아갔지.

저녁 때 약용은

어떤가? 수령이 되어 마을의 제사를 주관하게 된 이제야 수령으로서 인정을 받은 것 같지 않은가?

종묘사직과 동네 마을 신에게 두루 인사를 하는 것은 공경하는 마음을 갖기 위함이네.

형식이 지나쳐 마음을 잃지 않도록 해야지.
맞습니다.

저도 그 정성을 잊지 않으려고 노력했죠.

가뭄으로 농사일이 어려운데 기우제를 한번 지내보는 것이 어떨까요?

약용은 한참을 생각하다 이렇게 말했지.
농사의 어려움은 알지만 기우제를 지낸다고 하늘이 비를 뿌려 준다고 할 수 있는가? 요즘 올리는 기우제는 부질없는 장난으로 신을 모독하는 일이 많으니 이는 예(禮)가 아니네.

백성들에게 보여 주기 위한 기우제는 하늘을 감동시키지 못하는 법이지.

자네가 직접 새로 제문을 만들어 제대로 기우제를 올리지 않을 것이면 차라리 안 하느니만 못하네.
네, 하긴 그렇네요.

기우제를 올린다고 괜한 고생만 하고 비가 안 오면
백성만 괴롭히는 일이겠군요.

유학의 예(禮)를 행하기
위해서는 백성을
가르치는 일이
우선이라네.
禮

세금을 받고 부역을 하게
만들고

관직을 맡는 것도 다 백성을
가르치기 위함이지,
다른 목적이 어디 있겠는가?
관직

정치를 제대로 행하느라고 교육을
일으키지 않는다면
주물럭
주물럭
정치
교육

백 년이 지나도 선정(善政)을
폈다고 할 수 없다네.
뭘
잘했다는
건지 원…?

백성들에게 예(禮)와 악(樂)을
가르치게나.

아~ 제가 미처 거기까지 생각을 못했어요.
이 고을은 시골이라 그런지 임금님의 교화가
닿지 않는 부분이 많은 것 같아요.

제가 예속을
권유하고
유학의
본보기가
돼야 하는
거군요.

목민관이 가장
힘써야 하는
부분이지.

다음 날 도령은 고을에 있는 서당을 찾아갔어.
서당

서당에는 학동들이 있었는데 모두 어린아이뿐이고
스승은 보이지 않았어.

그래서 도령은 동네에서 학업과 덕이 높아 명성이 높은 허 아무개 선비를 찾아갔지.

우리 고을에 서당이 있으나 배우려는 학동이 적은 것 같소.

서당에서 소학(小學)을 가르쳐야 배움이 깊어질 수 있는 것이니
맹자왈…
공자왈….
재밌다.

이 중요한 일을 맡을 스승이 필요하오. 내 듣기로는 이 고을에서 자네가 덕망이 가장 높다고 하니

훈장으로 일해 주면 어떻겠소?

자네를 초빙하여 서당에 모시면 우리 고을에도 배움의 길이 열릴 것 같소.

선비는 수령이 직접 찾아와
훌륭한 수령이로다.

스승을 구하는 모습에 감동을 받아 서당을 맡기로 했어.
교과서

그 후 도령은 서당으로 쓰였던 낡은 행랑채를 강당과 행랑으로 수리하고
뚝딱!

서당에 지원할 예산을 조정했지.
ON

아무리 관아에 돈이 부족하더라도 학교를 고치고 학업을 지원하는 일을 최우선으로 두어야 하는 것이지.

뿐만 아니라 서당에 비치할 서적을
구입하고
허생전
춘향전
홍길동전

고을 선비들의 책뿐만 아니라
어릴 적 읽던
책들입니다.

도령의 것도 모아 서당으로
보냈단다.

약용은 서당 훈장과 이것저것
논의를 했어.

배움이 바로 서야 나라가
바로 서는 법이지요.

생계를 이유로 배움을
멀리하는 백성이
없도록
먹고
살기도
힘들어.

널리 교화를
베풀어 주세요.

그래야겠지요. 저는 소학뿐 아니라 노인을
공경할 줄 알며 선비들 사이에 서로 겸손의
예를 다하는 것을 가르칠 겁니다.
안녕하세요,
어르신.
기특헌
지고.

또 어려운 자를 불쌍히 여길 줄
아는 마음을 가르치고자
합니다.
사랑

그렇지요. 배움은 읽기만 하는 것이
아니지요.

진정한 배움은 예의를 배우는 데 있지요.

또한 서당에 모이는 학생들끼리
향사지례를 열어
향사지례
활쏘기를 하면서 연회를 여는 것
끙차!

활쏘기와 투호의 예의를 배우고 즐길 수 있도록

주선해 주시오.

요즘의 학교가 글만 읽고 예와 악을 가르치지 않음이 슬프다오.
암기

서당에서 스승이 배움을 널리 퍼뜨려 주시면

그곳에서 배운 인재들은 과거 시험을 보고 싶을 것이오.
과거에 급제해서 효도해야지.

학문에 깊이가 있는 자는 추천하여 시험을 치를 수 있도록 해 주시오.
추천서

과거 공부를 권장하여
필승
과거급제

과거에 합격하는 자가 계속 나오면
과거장원급제

이것은 이 고을의 자랑이요, 영광이 될 것이오.
용당리수령배

과거의 규정이 비루하고 편법이 나돌아
과거 시험을 회피하는 일이 없도록
돈 많은 집 자식을
장원으로 정해놓고
시험은 무슨….
뜨끔!

좋은 의견이 있으면
내게 꼭 일러 주기 바라오.

서당에 다니는 아이들 중
총명하고 기억력이
뛰어난 이는 따로 뽑아
가르쳐 주게.

공부의 취미는 어렸을 때부터 길러
줘야 하는 것이지.
좔.
좔좔..
부럽다.

인재를 얻어 학문을 깨우치는
즐거움을 잃지 말게나.
스승님.

서당 훈장과
많은 이야기를 나누느라
밤이 깊은 줄도 몰랐지.

다음 날 아침이 밝았어.

도령은 고함 소리에 놀라 눈을 떴어.
이얍
핫

밖으로 뛰어나가 보니
얏!
하압.

고을의 젊은이들이 군복을 입고 훈련을 하고 있었지.
합
얏잇

관청에는 어린아이에서부터 늙은이까지
각양각색의 사람이
모여 있었지.

도령은 병방(兵房)을 불렀어.
예이!

오늘
군사 훈련 모습을
보니

나이가 어린 자도 있고
저도
할 수
있어용!

훈련 받기에 너무 늙은 자도 있더군.
늙은이라고
얕보지 마,
켈록!

병적(兵籍)을 다시 살펴 폐단이
없는지 살펴주게.
병
적

훈련을 면제해 주는 대신
군포(軍布)를 받고
있기도 한데
돈으로
안 되는
게
어딨어?

폐단이 커서 백성들에게 뼈에 사무치는
괴로움을 준다고 하네.
못난 부모 만나서….
훈련소

바로 쌀과 포목으로 군포를 납부했는데도 군사 훈련에 소집하는
이중고(二重苦)를 주는 걸 말하지.
나는 몰라!
서류에 있으니 군에
가야 해.
영
장

절대로
그런 일이
생기지
않도록 하게.

다만 족보를 위조하여 군적(軍籍)을 모면하려는 자가 있으면 이를
징계하면 된다네.
3대 독자에
척추도
안 좋고
눈도 굉장히
나쁘네요,
회장님.
잘 아는
구먼.
해외로
서핑이나
하러 가자.

*오합지졸 – 까마귀 떼가 모인 듯 질서 없고 규율이 없는 병졸.

우리나라 풍속은 유순해서 무예를 좋아하지 않네.
한다고 해봤자 고작 활쏘는 것뿐인데 지금에는
그것마저도 익히지 않으니 무(武)를 권장해 주게.

전쟁이노
므니다.

선비는
전쟁
안 해.

내가 이 고을의 수령으로 오랫동안 임기에 있으면서 무예에 힘쓰도록 백성들을 독려할 것이니
칭찬.

그리 알게나.
도령의 말에 병방은 어깨에 힘이 들어갔지. 이에 도령은 또 말했어.

강하고 큰 활을 설치하고 그것을 쏘는 훈련은 반드시 익혀 두어야 하네.

뜻밖의 변란이 닥치더라도 침착하게 대응할 수 있도록 만반의 준비를 해두어야 하는 법이지.
변란

화살을 만드는 대를 나누고

월마다 치르는 시험에 쓸 화약을 나누어 보내는 일은 특히 위험하고도 조심스런 일이니 그 나가고 들어감을 철처히 해 주게.
화약

군사 훈련은 항상 중요하게 볼 터이니 소홀함이 없이 힘을 길러 주게나.

병방은 도령의 말을 명심하여 듣고는 군사 훈련에 만전을 기했지.

오늘 보니 어떻든가?

임진왜란 같은 큰 전쟁을 겪었는데도 이에 대한 대비가 미흡한 것 같아요.

전쟁에 대한 위험이 적어서 그런가요?
전쟁

군사와 병사를 관리함은 꼭 외적 때문만은 아니네.

요즘은 민심이 흉악해져서 관장을 죽이려는 음모가 있기도 하고 괴서(怪書)나 투서(投書)를 수령에게 보내는 일도 있다네.

네? 백성들이 그런 난을 일으키면 어쩌죠?

관아의 군졸 가지고 맞서 싸울 수 있을까요?

그런 일이 있으면 경거망동하지 말고 침착하고 조용하게 진압해야 하네.

강도나 도적들이 서로 모여 난을 일으키면

죽여서 처벌하지 말고 타이르고 항복을 받거나 꾀를 내어 사로잡아야 하네.
잘못했어요, 흑흑.
애정

도적은 백성들의 생활고가 극도에 달했을 때 생기는 것이네.
뼈빠지게 일을 해도 생활이 나아지지가 않아! 씩씩….

민심을 되돌릴 방안을 찾아야지
민심아~! 이리 온.
민심
응?

죽인다고 해결되겠는가?

마땅히 성의를 다하고 믿음을 보인다면 불안해 하던 민심도 안정될 것이네.
민생 법안

민심을 잃어버리면 관리도 할 수 없는 거군요.

백성을 제압하기 위해서 군사를 쓰지는 않겠습니다.
대화

약용은 이어서 말했어.
풍년이 들건 흉년이 들건

조정에서 군사 훈련을 정지하라는 명이 없는 한 군사 훈련은 계속되어야 하네.
아이고, 찐다.

인원을 보충하고 장비를 갖추는 일에 힘쓰지 않으면 안 되지.
충성! 이병 빡이병

어쩌다 급하게 훈련을 시키다 보면
비상

대열에 결원이 생기거나 준비가 되지 않는다네.
신병이 어디 갔지?

군비가 미비하다고
국방예산

아전들이 급하게 백성들을 닦달하여 토색질을 시작할 수 있지.
내놔!
안 돼요!
양곡

이는 수령의 치욕이니 평소에 군율을 정비하여 아전들의 횡포를 막게.
군법
으악!

외적의 침입이 있을 때는

마땅히 지켜내는 것이 신하의 도리라네. 방어만 하고 공격을 하지 않는다면 임금께 가는 길을 내어주는 것이지.

허(虛)하면서도 실(實)한 것처럼 하고
작전상 후퇴.

실(實)하면서도 허(虛)한 것처럼 하라는 병법(兵法)의 말을 잊지 말게나.
어딜 넘봐!

전쟁이 일어난다고요? 끔찍한 일이군요.

전쟁이 일어나더라도

백성을 어루만져 농사에 힘쓰게 하고
내 맡은 바 임무를 다하자.

군용을 넉넉히 하는 것도 지방을 지키는 수령이 할 일이지.

난이 일어났다고 당황하여 이리저리 도망다닐 생각을 버리게.

산이나 바다로 떠돌다 길에서 죽기 십상이지.

성(城)을 수리하고 도랑을 깊게 파서 요지를 지켜야 하네.

또한 군량을 저축하고 적의 동정을 살펴야 하네.

백성을 안심시키고 생업에 종사케 하는 게 목민관의 직분이라네.
안심….

어느 순간에도 침착함을 잃지 않으면 되는 거죠?

높은 충성과 늠름한 절의로 사졸을 격려하고 조그만 공이라도 나라를 위하여 세우면 되는 것이지.

형세가 어렵더라도

있는 힘을 다해 싸우다가 죽는 것이 목민관의 분수를 지키는 일임을 명심하게.
내 임무는 충실히 했도다.

도령은 목숨을 걸고 고을을 지키고 백성을 지켜야 한다는 말에 지그시 입술을 깨물고 의지를 다졌어.

정약용의 한시

정약용은 사상가이기도 하지만 많은 한시와 수필을 남긴 문학가이기도 합니다. 정약용의 귀양지에서의 생활과 고민을 엿볼 수 있는 한시 두 편을 살펴보겠습니다.

탐진* 촌요(耽津村謠)
水田風起麥波長(수전풍기맥파장) 논에 바람 일어 보리이삭 물결친다.
麥上場時稻插秧(맥상장시도삽앙) 보리타작 하고 나면 모내기철이라
菘菜雪无新葉綠(숭채설무신엽록) 눈 내리는 하늘 아래 배추 새잎 파랗고
鷄雛蜡月嫩毛黃(계추사월눈모황) 섣달에 깨어난 병아리는 노란 털이 어여쁘네.

棉布新治雪樣鮮(면포신치설양선) 새로 짜낸 무명이 눈결같이 고왔는데
黃頭來博吏房錢(황두래박이방전) 이방 줄 돈이라고 황두가 뺏어가네
漏田督稅如星火(누전독세여성화) 누전 세금 독촉이 성화같이 급하구나
三月中旬道發船(삼월중순도발선) 삼월 중순 세곡선이 서울로 떠난다고.

*전라남도 강진의 옛 이름

정약용은 사대부 양반이었기 때문에 농사일을 해 본 적이 없었을 텐데도, 자세하게 농사일을 묘사하고 있습니다. 보리이삭이 물결치니 보리타작을 하고, 모내기철의 분주함도 다 보이는 것 같지요? 겨울이 다가오는데 배추 잎이 파랗고, 겨울에 보송하게 태어난 병아리의 모습도 그려집니다. 그런데 그 다음 내용을 보면 갑자기 우울해집니다. 겨울 준비를 하는 농민의 분주함과 마음이 엿보였는데, 이런 즐거움을 이방과 황두(지방 관리를 가리킴)가 다 빼앗아가기 때문이에요. 《목민심서》의 구절에서 고을의 아전을 단속하라는 말이 왜 많이 나왔는지 이제 알겠지요? 이런저런 명목으로 뜯어가는 세금 독촉에 겨우살

이가 더 혹독하게 느껴지는 농민의 마음을 표현한 시랍니다.

구우(久雨)

窮居罕人事(궁거한인사) 궁벽하게 사노라니 사람 보기 드물고
恒日廢衣冠(항일폐의관) 항상 의관도 걸치지 않고 있네.
敗屋香娘墜(패옥향낭추) 낡은 집엔 향랑각시 떨어져 기어가고,
荒畦腐婢殘(황휴부비잔) 황폐한 들판엔 팥꽃이 남아 있네.
睡因多病減(수인다병감) 병 많으니 따라서 잠마저 적어지고,
秋賴著書寬(추뢰저서관) 글짓는 일로써 수심을 달래 보네.
久雨何須苦(구우하수고) 비 오래 온다 해서 어찌 괴로워만 할 것인가
晴時也自歎(청시야자탄) 날 맑아도 또 혼자서 탄식할 것을.

*장맛비

이 시를 보면 정약용이 귀양살이를 하면서 어떤 모습으로 어떤 생각을 하고 살았는지 알겠지요? 궁벽한 곳에 살면서 친구들도 없고, 옷도 남루하게 입고 있고, 집은 다 떨어져 나간 황폐한 환경이 보이는 것 같습니다. 거기에 늙고 병들어 잠도 없어지니 글을 쓰면서 귀양살이의 한을 달랬던 것입니다. 이런 글 짓는 일로 수심을 달랬기 때문에 위대한 고전 《목민심서》도 탄생했겠지요.

약용은 오랜 비로 백성들이 고통을 겪고 있어도 아무 도움도 주지 못한 채 한숨만 쉬고 탄식하는 자신을 바라보며 괴로워 합니다. 구우(久雨)라고 하면 백성들을 한숨짓게 하는 장마라고도 볼 수 있지만 백성들에게 내리는 나쁜 정치를 의미한다고 볼 수 있답니다. 이 시에는 현실의 정치가 잘못되어 백성들의 근심이 커지는데도 아무 개혁의 힘을 쓸 수 없는 지식인의 아픔이 잘 그려져 있습니다.

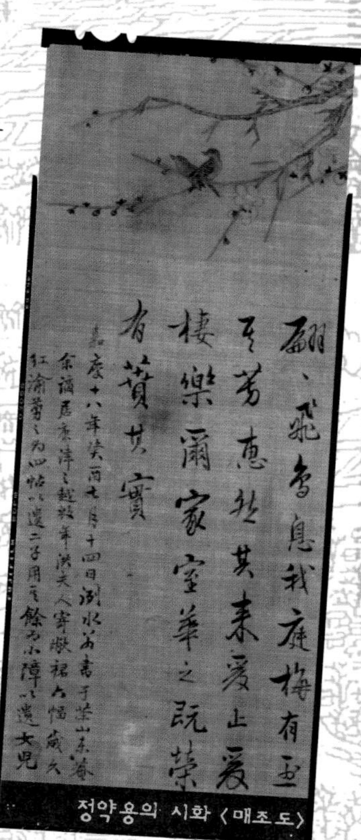
정약용의 시화 〈매조도〉

제10장

목민관의 형벌과 시설물 다스리기

차근차근
말해 보게.
내가 들은 바가
있으니
조금이라도
거짓을 고하면
안 될 일이네.

자네가 정확히 알고 있는
것만을 얘기해 보게.

수령에게 급히 말하던 그는
깜짝 놀랐지. 수령을 죽이려고
한다고 얘기하면

수령이 다짜고짜 산속에 있는 무리들을
잡으러 갈 줄 알았는데 저토록 차분하게
응하는 수령을 보고 나니 더 이상 급하게
말할 수 없었어.

그 사람은 원래 마을 사람들과 같이
도망쳐 도적질을 하다가

그 패거리들과 마음이
안 맞아 싸우고 나온
사람이었던 거야.

그래서 앙심을 품고 산속에 있는 도적패를

수령에게 일러서

그들을 쳐죽여 달라고 얘기하러
온 거였어.

그런데 수령이 조금의 당황스러움도 없이
침착하게 앞뒤 이야기를 물으니

자기 자신도 빼도 박도
못하고 잡혀갈 게 뻔했어.

자네의 이름이 뭐고
어디 사는가?
형방은 나와서
이자의 말을
빠짐없이
기록하거라!

도령의 명령에 형방(刑房)은 문서를 꺼내 일목요연하게 정리하기 시작했지.

관아에 엎드려 앉은 그 자는
저는 ○○면에 사는 엄○○이온데 죽을 죄를 지었습니다.

제가 무식해 가지고 수령님께 다짜고짜 거짓을 아뢰었습니다. 죽여 주세요.

그자는 수령의 엄함에 기가 죽어 벌벌 떨었지.

이에 도령은
불편하게 여기지 말게. 자네가 보고 들은 바를 가리지 말고 말해 주게.

내가 자네의 억울함을 풀어 줄 것이니 편하게 생각하고 얘기를 해 보게.

이곳이 부모의 집이라 생각하고 말이네. 내 자네의 답답함을 풀어 주겠네.

엄씨는 눈물을 흘렸어. 강하지도 약하지도 않은 수령의 태도에 감동을 받았지.

백성의 마음을 속속들이 알고자 애쓰는 수령의 모습을 보니 과거의 잘못이 부끄러웠던 거야.
부끄…

엄씨는 거짓 없이 수령에게 도적의 근황을 알리고 수령을 도와야겠다고 생각했지.

수령님, 저는 재작년에 수령에게 반발심을 갖고 동네를 떠났습니다.

돈은 없는데 자꾸 세금을 독촉해대니 어디 살 수가 있어야죠.
내놔!

그래서 산속으로 도망쳤죠.

그곳에는 저처럼 떠돌아다니던 이들이 많았던지라 우리끼리 뭉쳤습니다.

이 마을 저 마을 우리는 도적질도 하고 사람도 해쳤습죠.

죽을 죄를 지었으니, 어찌 제 입으로 말씀드릴 수 있겠습니까?

도령은 엄씨의 이야기를 듣고는 말했어.
자네의 말은 내 참고로 삼을 것이오.

형방과 상황을 조사하여 처리할 것이니

자네는 집으로 돌아가 근신하고 있게.

자네가 도적질을 한 것은 가난이 그리 만든 것이지 악한 마음 때문이겠는가?

겁먹지 말고 돌아가게. 자네를 해할 생각은 추호도 없다네. 다만 어려움이 있으면 형방에게 도움을 청하게나.

도령은 엄씨를 돌려보내고 약용과 형방을 불러 처리 문제를 의논했어.

이런 문제를 물 흐르듯 처리하는 것은 천재나 할 수 있는 일이지. 그러나 그렇게 처리하는 것은 위험하다네. 간단히 처리하고 생략하다 보면 사람의 속내를 알 수 없지.

한 사람의 말만 듣지 말고
그 양반은 법 없이도 살 사람이여.

자료조사를 충분히 하여 사실에 근접해야 하네.

서두르되 대충하지 말며, 한 번 결정하면 되돌릴 수 없으니 판결에 신중을 기해야 하네.
유죄
땅

자네들은 산속 무리의 위치를 파악하고 우리 고을의 피해를 조사해 주게.

혹, 보거나 들은 자가 있으면 최대한 협조를 얻게.

이번에 그들을 일망타진해 봄세.

형방과 병방은 군사들을 이끌고 도적 패거리의 은거지인 산속으로 가서

함정을 파놓고

그들을 사로잡아 왔어. 관아는 죄인들로 가득했고,

죄인들의 가족은 관청 문밖에서 목놓아 울었지.
아이고…
앙앙.

도령은 죄인들을 모두 모아 놓고 말했어.

내 자네들의 행적을 자세히 조사했네. 거짓이 있으면 스스럼없이 말하라!

형방은 이들의
죄상을 낱낱이
낭독하라!

2, 3년간의 도적질과 행패가 온천하에
드러나니 죄인들은 고개를 숙일
수밖에 없었지.

이젠 다 죽었구나!
감옥에 가는 수밖에 없구나!
하는 생각으로 절망적인
표정이었지.

그때 도령은
자네들은
악한 무리로
보이지
않는다네.

죄가 밉지
자네들이
밉겠나?

또한 자네들은 다 농사짓던 백성들인데
어찌 나의 백성들이 아니겠는가?

다만 자네들의 죄는 벌을
받아야 할 것이네.
죄
벌
퍽

죄인들은 모두 처형당할 줄 알고
있었는데 의외의 다정한 목소리에
고개를 들었지.

자네들 가운데
그 우두머리는
처형을 당할
거야.
우쉭

하지만 단순 연루자들은 용서를
할 것이다.
단순해서
공부도 못해요,
히~이.

내가 자네들을 용서하는 것은 다시 본업으로 돌아가 양순한 백성이
되기를 바라는
마음이네.
이제부터
열심히
살자.
귀여운
내
자식
들.

감옥살이 생활에 헛되이 시간을 버리며
원통함을 되씹지 말라는 뜻이네.
아~
후회스러워라.

관청 문밖에 모여들고 있던
가족들은 환호성을 질렀어.
와아아…

몇 년간 보지 못했던 남편,
아버지 들을 이제야 보게 되었는데
도둑 떼로 돌아왔으니
아빠….

최소한 감옥살이요 죽임을
당할 것이라고 생각했지.

하지만 도령의 너그러운
판결을 듣고

아버지와 남편을 되찾았으니 기쁨에 넘칠
수밖에.
아빠!
내아들.

저녁에 도령은 약용과 이야기를 나누었어.

죄인을 처벌하는 것은
언제나
신중해야 하네.

자네 몸을
깨끗이 하여
몸을 삼가고 밝게
판단해야 하네.

자네의 생각에 따라 사람의 죽고 사는 게
결정되는 것이니 아무리 조심해도 지나치지
않는 법이지.
生
死

잘 알겠나?
예, 마음에 깊이 새기겠습니다.

이번 사건은
잘 처리했네.
급할수록 차분히
해야 하는 것인데
잘 했네.
죄인들을
용서해 준 것도
아주 잘했어.

선생님께서 그러셨잖아요.
백성들에게 너그러이
하라고요.

백성들의 억울함을 풀어줘야 하는 자가 그들을
벌한다고 가두고 죽여서야 되겠습니까?
누명
감사.

암, 그렇지 그렇고 말고. 감옥살이 하는
사람이 많아지면 열 명 중 아홉은 원통해
하지. 자네의 힘이 미치는 대로 남몰래
도와준다면

이것은
덕(德)을
심는 것이니
복(福)으로
다 거둘
것이니라.
복
복
덕

그렇군요.
명심할게요.

또, 오랫동안
감옥에 죄수를 가둬두는 것도 좋지 않지.
법에서 용서할 수 없는 것이라면
의(義)로써 처단할 일이지만
죄인에게 혹독하고 참혹하게
법문만을 행사하면 안 되네.

어디까지 용서해 주고
어디까지 벌해야 하는
것인지 그 선이
잘 서지
않습니다.
어찌해야
하나요?

의심가는 바가
조금이라도
있으면
반드시
용서해
주어야
하네.

정확한 증거가 없는데 의심간다고 해서
옥살이를 시키다 보면 그 기한이
길어지니 원통함이
깊어지는 것이지.
고구마 몇 개
파먹었다고
30년
이라니!
너무해!
30년

수령이 벌을 줄 수 있는 것은 다 등급이 있다네. 상, 중, 하로 나누어
상
중
하

상급 죄인은 태형(곤장) 30대, 중급은 20대, 하급은 10대를 치게. 아무리 중한 죄를 지었다고 하더라도 태형 50대 이상은 심한 것이니 절대 어겨서는 안 되네.
철썩! 철썩!
아이고!
난 하급이라 다행.

그리고 부녀자에게 볼기(엉덩이)를 때리는 것은 치욕스런 일이니 절대 해서는 안 되네.
어머~! 뭐 하시는 거예요 지금!

늙은이와 어린이는 절대 고문해서는 안 되는 것도 알지?
울먹..
설마… 저를?

악한 벌은 도적들에게나 쓰는 것이지 평민에게 가벼이 써서는 안 되네.
으아악!

도령은 다음날 관아의 죄수들이 갇혀 있는 감옥을 둘러보았어.
감옥

감옥에 있는 사람들은 다들 춥고 배고파 했어. 죄를 지었기 때문에 냉방에 가둬둔 거야.
추워.
배고파.

그 모습이 마치 지옥같아 보였어. 옥에 갇힌 죄수라고 하더라도 다 우리 고을의 백성인데 도령은 불쌍한 마음이 들었지.

그래서 형방을 불러 명령했어.
찾아 계십니까?

아픈 것만으로도 괴로운 법인데 옥중이니 얼마나 더 하겠는가?

감옥이라는 곳은 이유없는 집이요, 죄인들은 걷지 못하는 사람이니 이들에게 원통함이 없도록 하라.

내 들으니 죄인들에게 뇌물을 받아 토색질하는 옥졸이 있다고 하는데 사실로 드러나면 엄벌에 처할 것이니
청탁

아전들은 잘 단속해 주게.
네, 명심 하겠습니다.

참! 죄인들의 목에 건 저 칼은

선왕의 법이 아니고 후대에 관례로 하는 것이니 옳지 않네. 굳이 따를 필요가 없네.

돌아오는 길에 약용이 도령에게 와서는

허허… 나는 오랜 귀양살이를 하며 죄인으로 살았네. 그 모습이 슬프고 측은하니 이들을 편히 살게 해주는 것이 어떤가?

자네 같은 수령이면 귀양 온 죄인도 찾아보고 집과 곡식을 내어줄 수도 있을 것 같은데.

죄인들이 사는 모습이 남의 일 같지 않아 하는 소리네.

도령은 약용이 쓴 웃음을 지으며 하는 그 말을 마음에 새겼어.
허
허

참! 선생님. 도적 떼들을 소탕하려고 산에 가보니

산에 수풀이 우거지지 않았더라구요. 나무가 그리 없으니 백성들이 땔감을 제대로 구해 쓰는지 모르겠어요.
올 겨울은 어찌 할꼬?

아마도 땅속의 광석을 캐느라 땅을 헤집어 놓아 나무들이 살 수 없게 되어 그런 것 같으니 우선 채굴을 금지시키게.
채굴금지

금, 은, 동 등 예전부터 나오던 광산이야 어쩔 수 없지만 새롭게 광산을 채굴하는 자는 없도록 해야지.
나도 부자 좀 돼보자.

나무를 심어 수풀을 우거지게 해야 하나요?
그럴 여유가 있겠는가?

산림을 우거지게 하는 건 중요한 일이기는 하지만 수령마다 부임해 와서는 여러가지 나무를 심기만 하고 돌보지 않으니 그래서야 되겠는가?
목말라.

나무를 가꾸고 기르는 것으로 만족해야지.
있는 나무라도 잘 돌보자.

나무는 오랫동안 자라고 수령은 오래 재임해 있을 수 없으니 자네가 돌볼 수 있는 나무만 돌보게.
안녕.

쓸데없이 백성들을 동원하여 수고롭게 나무를 심지는 않았으면 하네.
바빠 죽겠는데.

하지만 중요한 사업은 시행해야지. 내 보기에는 물을 잘 관리해야 할 게야. 마을을 돌아다녀 보게나.

동네에 있는 물줄기가 온 고을의 농지에 고르게 퍼져 있는지 확인해 보게.

우리나라는 물도, 비도 많은데 물을 지배하지 못하면 백성을 돌본다고 할 수 없는 것이야.

아차! 그런 중요한 게 있었군요.

지난번에 마을에 나가 보니 흐르는 냇물을 끌어다가 농지에 쓰던데요.

마을의 권세가들이 그 물줄기를 함부로 끌어다 쓰고 있었어요. 당장 나가서 확인해야겠어요.
우리 논에 먼저 물을 대야지.

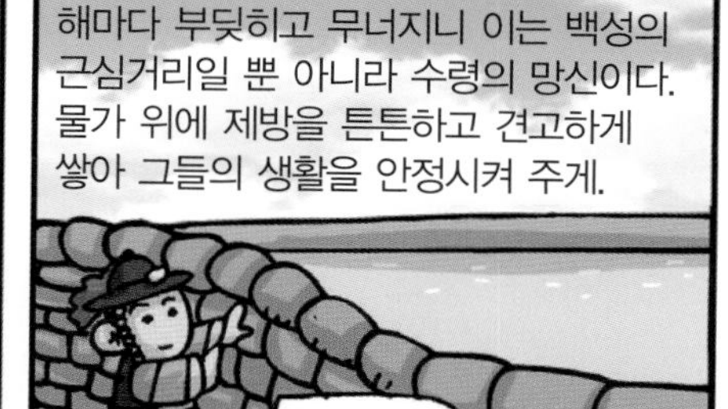

강물과 연못에서 생산되는 물고기, 자라, 연, 부들 같은 것을 엄중히 지켜서 그것을 팔아 돈을 보충해 보는 것이 어떻겠는가?

밤중에는 오가는 백성들이 돌부리에
걸려 넘어지거나 연못에 빠져 봉변을
당하지 않도록 횃불을 밝히는 것도
예의가 있는 마을의 모습이지.

꼭 해야 하는
공사는
해야 하지
않겠는가?

그렇군요.

마을의 어수선한 곳을 치우고 닦아주는 것도
백성을 위한 길이었군요.
미리 살피지 못했습니다.

그리고 벽돌 굽는 법을 연구하고
기와도 굽게 하게.

기와집은 백성의
생활을 따뜻하고
안전하게 보호해
줄 게야.
수령은 백성의 안팎을
다 돌아보고 살필 줄
알아야 하는 게지.

고을 안을 초가집에서 기와집으로
바꾸는 일도 정치를 잘하는 일이지.

도령은 고개를 끄덕이며 마을 곳곳을 살펴
보았지.

수리해야 할 곳은
메모지에 적으면서 말야.
초가
한옥

꼼꼼한 수령님이야.

수원 화성과 거중기 이야기

정약용은 거중기의 발명으로 수원 화성을 축조하는 데 많은 공로를 세웠습니다.

그렇다면 수원 화성을 짓도록 한 정조는 왜 기존의 수도 서울(한양)이 아닌 수원에 성을 지었을까요? 그리고 방어능력이 뛰어난 수원 화성 축조에 정약용의 거중기를 사용했다는데 거중기는 어떻게 생긴 걸까요?

수원 화성의 탄생 배경

수원 화성은 정조 임금이 1794년부터 시작해 2년 반에 걸쳐 완성했어요. 정조의 아버지인 사도세자는 할아버지인 영조가 쌀뒤주에 가두어 죽게 했어요. 그렇게 억울하게 죽은 아버지 사도세자에 대해 슬퍼하던 정조는 아버지 묘를 명당으로 모시고 싶어 했죠. 마침 후보지로 수원 고을 뒷산(지금의 화산)이 올랐고, 바로 그곳에 성을 쌓았습니다.

수원 화성 전도

정조가 효심으로 수원 화성을 쌓은 것은 표면적인 이유였지만, 숨은 뜻은 따로 있었어요. 할아버지인 영조의 통치가 막을 내리자, 새로 등극한 젊은 왕 정조는 강력한 왕권의 구축이 필요하다고 느꼈어요. 사도세자가 불행하게 죽을 수밖에 없었던 이유도 관료들의 힘겨루기에 의해서라고 봤습니다. 그러니 새로운 왕이 기존 세력들을 장악하고 새로운 인재를 뽑아서 활동할 새로운 도시, 수원을 필요로 했고, 거기에 화성이란 튼튼한 성을 쌓은 것입니다. 정조가 재임 중에 자주 수원을 찾았다고 하니, 아마 효심 이상의 정치적 이유가 있었을 거예요.

거중기의 이모저모

거중기는 1792년, 즉 정약용이 31세 때 수원 화성 사업을 지휘하면서 직접 만든 것입니다. 이 거중기 덕분에 건설 경비를 4만 냥이나 절약했고, 노동자 두 사람이 약 10톤 이상의 무거운 자재를 높은 곳으로 운반할 수 있었습니다.

거중기

거중기는 위아래에 바퀴 8개의 겹도르래가 있고, 좌우로는 '북'과 '고패(높은 곳에 물건을 올리고 내릴 때 걸치는 작은 바퀴나 고리)' 및 십자형 말뚝으로 구성된 '거(종이나 북 등을 거는 틀)'로 이뤄져 있어요. 그리고 겹도르래의 좌우 끝으로부터 끈이 북과 고패에 연결되어 십자형 말뚝을 돌리면 고패도 돌아 겹도르래가 무거운 짐을 올리게 되어 있습니다.

제11장
목민관의 가난 구제법

도령은 목민관으로 부임한 후 하루하루가 바빴어.
바쁘다, 바빠!

남들은 수령 자리가 부러울지 모르지만
수령
나도 앉아 보고 싶다.

백성들과 같이 마음을 나누는 도령으로서는 마음이 무거울 수밖에 없었지.
마음이 돌같이 무거워.

이 마을은 작년에도 홍수가 들어 많은 사람이 죽고 배를 곯았는데 올해도 흉년이 들어 백성들이 굶기를 밥 먹듯이 한다는군.
하늘도 무심하시지.
똥개 살려.

도령의 마음은 어찌할 바를 몰랐어.
다 내가 부덕한 탓이야.

후유~
아무리
좋은 마음을
먹는다고
하더라도

백성들이 저리 굶주려서야 좋은 목민관이라고 할 수 없지.
이게 모두
저… 수령 탓
아닐까?

도령은 이방을 불렀어.

내, 이제는 고기반찬으로 식사를 하지 않겠노라.

그리고 관아에서 동물에게는 곡식을 주지 말라. 백성들도 못 먹는 음식을 개나 말이 먹어서야 되겠는가!
너무해요.

음악을 연주하지도 말며 연회를 열어서도 안 되느니라.
위로 공연
이라도….

이방은 깜짝 놀랐어!
깜짝!

아무리 백성들이 배고픔에 괴로워 하더라도 이처럼 수령이 먼저 나서서 좋은 음식을 마다할 줄 몰랐던 거지.
조금만
참고
힘내
세요.
고맙네.

그러고는 '수령이 드시지 않는 고기를 우리가 어찌 먹을 수 있으리.' 라고 생각했어.
하이고~
나는 하루라도
고기를 안 먹으면
입안에 가시가
돋히는데.

그래서 이방은
수령님께서 그러시면
많은 선비들이
같이 행동하기가
어렵사옵니다.

아직 관아 창고에는 곡식이 많이 남아 있으니 너무 심려치 마옵소서.
비상 식량

이에 도령은 화가 났지.
뭣이라!

이런 흉년을 당하여
백성들이 애타는 것이
보이지 않소?

목민관이 나서서 삼가지 않으면
그들이 우리를 원망하고
흘겨보게 될 것이오.
수령 혼자
잘 먹구
있다구!

게다가 생업에 종사하지 못하고
화난 얼굴에 귀신 같은 몰골로
먹을
거….
먹을
거….

이리저리 먹을 것을 찾아 헤매는
백성들을 두고 감히 나의 편안을
생각할 수 있겠소?
깽
먹을 거다!
내 거야!

다른 사람의 윗사람이 된다는 자가
봉양을 홀로 받겠느냔 말이오!
우걱 우걱
나부터 먹구
살고 봐야지.

비록 받는다고 해도 목구멍으로
음식이 넘어가지 않을 것이오.

도령은 다시 한 번 명령하기를,
나는
흰색 무명
옷만 입을
것이오.

아까도 말했지만 밥상에
기름진 음식을 올리지
마시오.

흉년이 수습될 때까지 어떠한
공사나 부역을 일으키지
말아야 하오.
공사금지

내 말을
잊지 말게나.

도령의 단호한 말에 이방은
고개가 푸욱 수그러졌어. 이방은
한참 더 배워야겠지?
심히
부끄럽다.

도령은 이 흉년을 어떻게 지혜롭게
보내야 하는지 고심이
많았어.
아~ 이 일을
어찌한다.

도령은
약용에게
스승님, 이런 흉년이
연거푸 일어나다니
다 저의 부덕인 것 같아요.

굶주려 죽는 사람이 들판에 가득하고 창고가 비어 있으니
고을이 들썩이네요. 어찌 할까요?

흉년은
하늘의
뜻이니라.

자네의
부덕함으로
자책하지
말게나.

흉년에 대한 대비는 왕이 미리 제도를
준비할 수 있으면 그것이 으뜸이라.
혹시
모르니.
비상 식량 배

그 다음은 황무지를 미리미리 개간해
두는 것이오.

셋째는 축척된 곡식이 있어 골고루
나누어 줄 것이 있으면 이것을
유통시키는 것이오.
전라북도
경상남도

그리고 이것저것 다할 수
없어서 미음과 죽을 쑤어
주는 것이 최하인 것이오.

수령이 할 수 있는
일에는 한계가 있으니
내 힘으로는
불가능한
일이야.

어쩔 수 없는
경우가 있다오.

도령은 고개를 끄덕이면서
마음이 편안해졌어.

수령이 할 수 있는 일이 있지.
물건이란 귀한 것이 천할 징조요,
천한 것이 귀할 징조라네.
?

만일 여러 해 풍년이 든 나머지 곡식이 흙과 같이 천하면,
수령은 이때 돈이 많이 들더라도 곡식을 사들여
비축해 놓아야 하네.
풍년이라 쌀을 쌓아둘 창고가 없다.
너무 많아도 탈이군.

네?
풍년일 때 곡식을 사들이라 고요?

그렇다네.
그래야 뜻밖의 재난에 대비할 수 있네.

수령이 관아에 있는 것은
마치 여관살이 같은 것이네.

월급에서 남은 돈을 집에 있는
식구들에게 주면 그게 쌓일 것
같은가?
월급

그 돈은 다 써버려져 온전하게 남은 것이
없게 되네.
애들 학비에, 보험료에, 세금….
뭐 남는 거나 있는 줄 알아요?

차라리 수령으로 있으면서
곡식을 사들여 흉년에
대비하면
창고
어려울 때 써야겠다.

백성을 구제할 수도 있고 또한 남은 곡식을
이웃 고을에 팔면 이윤을 얻을 수도 있다네.
알겠나?
이렇게 고마울 수가.
원가에 드려요.

누이 좋고 매부 좋고,
꿩 먹고 알 먹고
안 돼!

일석이조 아닌가?
一石二鳥
(일석이조)
돌 한 개를 던져서
새 두 마리를
잡는다는 뜻
두 가지 이득을
봄을 이르는 말

다음 날 도령은 이방을 불러 의논하기를

흉년이 심해지고 있으니
못 먹는 백성들이 너무 많소.

우리 고을의 부자들을
파악하여 곡식을 조금씩
거두었으면 하네.

형편이 어려운 백성들에게는
조금도 거두지 말며
먹고 죽을
곡식도
없수!

재산의 여부를 정확히 파악하여
뜨끔!

곳간에 곡식이 있는 집의
명단을 먼저 내게
보여 주게.
부자

부자들에게 곡식을 거두는 일은
내가 직접 할 것이니
예, 그렇게
하겠습니다.

고을 아전들이 농간을 부려 백성들의 집에 사사로이
드나들지 않도록 단속해 주게.
숨쉬는 세금이
새로 나왔어용!
세금
죽일 놈들.

백성들에게는 조금의 곡식도
거두지 말며 다만 부역을
모두 감면해 주게.
부역면제

그러면 백성들이 나물을 뜯어 먹거나
나무껍질을 벗겨 먹고 살더라도
스스로 살아갈 수 있다네.

또한 자네들로 인하여
백성들이 괴로움을
당한다는 이야기가
전해오면 모두
파면시키겠네.

도령은 혼자 앉아 생각하기를

지금 눈앞에 죽어가는 자를
살리고자 창고를 열면
곡식창고

곡식이 다 없어질 텐데….
텅!
순식간에
없어졌다.

그러면
내년 3, 4월을
어떻게
견딘단
말인가?

그때에는 살아 남는 백성이 없게
될 것이야.

지금 죽는 자들을 보더라도
내년을 위해 곡식을 반드시
지켜야지.
곡식창고
금지

지금 부족한 부분은 부자들에게 간곡히
부탁하여 이 위기를
한번 이겨봐야겠군.
재산
안 돼
안 돼!
절대
안 돼!

그때 이방이 들어와서

수령님, 다른 마을에는
흉년이 들었다고
임금께 조서를
보냈다고
하옵니다.

우리 고을도 임금께
어려운 사정을 말씀드리고
지시를 기다리는 것이
어떨까요?

조정의
명령을
기다린 뒤에
한다면

굶주린 자가
다 죽을
것이오!

임금께 청한 뒤
쌀 지원 요청

곡식을 구하여 그 곡식을 백성들에게 나누어 주려는 계획을 실천하자면
언제나 쌀이 도착할까?

길거리에는 뒹굴어 죽는 자가 쌓일 것이오.
기다리다 지쳐 죽는다!

어찌 내 한몸 아껴서 만인의 목숨을 살리지 않겠느냐.

두려워하지 말고, 나를 믿고 따라주게나.

이방은 도령의 흔들리지 않는 모습에 경탄을 할 수밖에 없었지.
오~ 훌륭하신 분이시다.

부자들의 명단을 구해 왔느냐?
그… 그게 너무 어려워서요.

다들 힘들 때라 부자 명단에 올라가기라도 하면 많은 재물을 갈취 당할까봐 재산을 숨기고 있사옵니다.
없어! 없어! 암 것도 없어!

그럼 내가 친히 이들을 만나 볼 터이니 자리를 만들어 주게나.

그러나 먼저 자네가 동네에서 어진 사람을 20명 모아 주게.

다만 비밀스럽게 일을 처리해 주게.

이방은 마을에서 어진 사람을 20명 불러서 도령에게 소개시켜줬어.

도령은 식사 대접을 하며 종이 한 장을 가져다가 이 마을의 부자로 소문난 사람 명단을 쭈욱 써 주었지.
고을 부자명단

그러고는 초대받은 20명에게 돌아가면서 부자들을 상, 중, 하로 등급을 매겨 적도록 했어.
부럽다.
中
上

그렇게 돌아가면서 쓰다보면 한두 사람이 뇌물을 받아서 생기는 간사한 일은 없을 거라 생각한 거지.
나는 그냥 하로 올려줘!
네.
下

실제로 부자들을 요호(饒戶)라고 하여 자기 집에 저축한 곡식이 여덟 식구가 먹고서도 남음이 있는 집을 가리켰어.
험!

그런 집에서 쌀을 내놓아 기근에 빠진 백성들에게 싼값에 팔게 했지.
쌀

사람들은 요호가 되면 많은 재물을 관아에 바쳐야 하므로 매우 두려워했어.
아이고~ 아까워 죽겠네.

그래서 요호를 면하려고 뇌물을 쓰는 자도 많았네.
뇌물

도령은 이렇게 뽑힌 요호들을 한자리에 모이게 했어.
정신 바짝 차리자. 뺏길라.

예로써 두터이 하고
禮

이해로써 타이를 각오를 하고 이렇게 말했어.
이해

내 여러분의 어려운 상황을 다는 몰라도 조금은 압니다.

어려운 시기에 여러분들이 조금씩 곡식을 내어주면 그것을 백성들에게 싸게 팔아 기근을 넘겨 보려고 합니다.
만세!
돈
돈

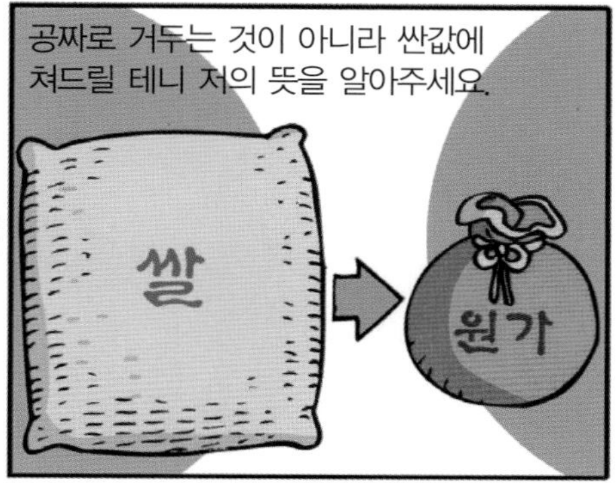
공짜로 거두는 것이 아니라 싼값에 쳐드릴 테니 저의 뜻을 알아주세요.
쌀
원가

내 이 도움을 잊지 않고 군에 보고할 뿐 아니라
군청
선행추천

후에 조정에 상(賞)을 구하여 은혜를 갚을 테니
상

즐거운 마음으로 베풀어 주길 바라오.
수재
의연금

다만 곡식을 약탈하는 자는 죽일 것이고
사형

쌀을 숨기는 자 또한 귀양을 보낸다는 사실을 잊지 말고 명심해 주길 바라오.

도령의 말을 듣고 요호들은 마음에
두려움이 싹 가셨어.

우리 수령님은 위엄으로 권할 뿐이지
갈취하는 것은 아니군요.

그렇다면 이런 어려운
시기에 능력이 되는 만큼
곡식을 좀 나누어야겠어.

다른 부자들도 요호로 뽑혀 재물을 도에 넘치게 갈취
당할까봐 두려워했는데

도령의 지혜와 엄함을 보고 마음이 가벼워졌지.
아~
그런
거구나.

그 후 마을 요호들은 자기 집의 창고에 쌓아둔 곡식을
관아로 들고 와 싼값이지만 대금을 치르고 쌀을 팔았지.
관아

부자들은 모았던 쌀을 가지고 백성을 도울 수
있기도 하고
정말
고맙습니다.

싼값이지만 돈을 벌 수 있어
아주 좋아했어.

다들 어렵게 사는데

부자들이라고 곡식을 펑펑 소비할 수 없어서 내심 고민이었거든.
혼자 다 먹을 수도 없고.

그때 수령이 나서서 쌀을 거두고 그것을 팔아주니
걱정하지 마세요.

남을 도울 수 있는데다 약간의 돈까지 얻을 수 있으니 기뻐했지.
돕는 게 이렇게 따뜻한 거구나.

도령은 마을 요호들이 모아준 곡식을 가지고 백성들에게 골고루 나눠 줘서 흉년의 위기를 넘길 수 있었어.

도령이 관아에서 곡식을 거두고

나누어 주기를 걱정하다 보니

조금의 농간도 있을 수가 없었지.
어휴~! 국물도 없구나.

하루 종일 쌀되 바가지를 들고 푸고 나르고 하다보니
바쁘다 바빠!

저녁 때면 소금에 절인 배추처럼 축 늘어질 수밖에 없었어.
아이고~ 온몸이 쑤신다!

몸은 지치지만 백성들이 길거리에서 굶어 죽는 걸 보는 것보단 훨씬 견딜만 했어.

저녁에 몸살을 앓고 있는
도령 옆에 정약용이 수건으로
얼굴을 닦아 주었어.

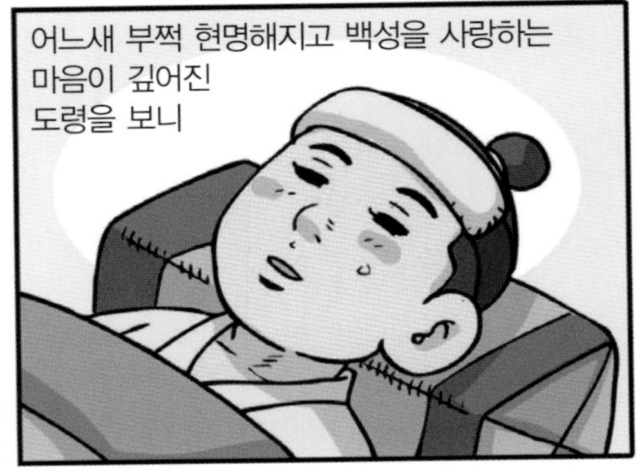
어느새 부쩍 현명해지고 백성을 사랑하는
마음이 깊어진
도령을 보니

약용도 마음이
흡족해졌지.

도령이 빙그레 웃으며
약용에게 인사를 했어.

내, 자네가 이런 위기를
잘 극복할 줄 알았다네.

자네의 지혜는 이제 온 고을에 퍼져
지혜

많은 백성들의 가슴에 영원히 남을 것이네.

요호들에게도 잘했네. 어려울 때일수록 요호들과 관아가
멀리 지내지 않도록 하고
나랑 놀아요!
관청

강제로 곡식을 빼앗아서는 안 되는 것이네.
같이
먹고
삽시다!

그렇다고 요호들과 너무 밀착되어 있어도

제대로 선정을 베풀 수 없는 것이니
백성들은 돌보지 않고….

적당한 거리를 두되 예로써 대하는 것을 잊지 말게나.

명심하겠습니다, 스승님!

다음 날 아침

도령은 몸도 마음도 한결 가벼워졌어.
아~ 개운하다.

그런데 지난번에 요호로 뽑힌 한 양반이 아침 일찍 관아로 찾아왔어.

도령이 무슨 일인가 궁금해서 물어보니
?

수령의 지혜와 덕을 믿기에 말씀드리고자 합니다.

지난번에 요호를 선정할 때 쯤이었습니다.

흉년이 거듭 일어나니, 관아에서 요호를 뽑아 쌀을 거둔다는 소문이 파다하게 일었죠.

그때 공방 어른이 저희 집에 와서는

요호에 뽑히지 않게 해 줄 테니 얼마를 줄 텐가?
하시는 겁니다.

그러고는 또 다른 아전들이 와서는 '또 얼마나 주겠는가?' 하시는 겁니다.

이리저리해서 쓴 돈이 2백 냥이 넘습니다.

수령께서 이렇게 지혜로우신 분인 줄 모르고

사사로이 간사한 돈을 썼습죠.

저는 사사로운 이익만 생각하고
내 귀한 쌀을 왜 나눠 줘? 안 돼!

고을의 백성들과 흉년을 이길 생각은 없었습니다.

부디 저를 벌하여 주십시오.

도령은 그 이야기를 듣고 너무나도 기가 막혔어.

아무리 조심한다고 해도 부정부패가 몸에 밴 고을 아전들을 물리치는 일은 거의 불가능에 가까운 건가 봐.
부정부패

도령은 입술을 지그시 깨물며 말했어.
이렇게 먼저 와서 말을 해 주니 고마운 일이네.

내 앞으로는 아전들을 잘 단속하겠네. 그리고 믿어 주게나.

내가 수령으로 있는 한 자네들이 사사로이 주고받은 소문으로 피해를 당하는 일은 없을 것이네.
소문

중형
내 공방과 그 일에 관계한 향리들은 크게 벌할 것이니 오늘은 그만 물러가게.

그리고 도령은 형방을 불러 명령했어.

앞으로 일체 손님을 관아로 출입하지 못 하도록 하게. 관아의 일을 사사로이 민가에 소문을 내고 다니는 자가 없게 특히 단속할 일이야. 그리고 힘 세고 무서운 사람이 문을 지키도록 하게.

관아를 빙자하여 백성들을 어렵게 하는 일이 없도록 미리 살펴 주게나.
관

다만 하소연하러 들어오는 백성들에게는 언제나 문을 열어 주도록 하게.
마구 때려용! 앙! 앙!

알겠지? 내 말 명심하게.

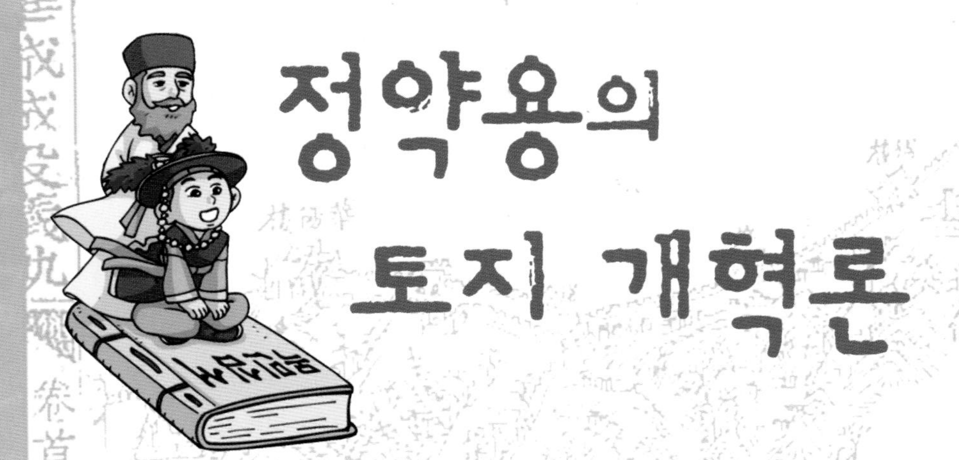

정약용의 토지 개혁론

정약용은 백성들의 어려움을 겪는 가장 큰 이유가 자기 소유의 땅이 없기 때문이라고 생각했습니다. 일 년 내내 열심히 농사지어도 지주에게 토지 사용분에 해당하는 농산물을 바치고, 또 국가에 많은 세금을 내고 나면 기본적인 생계조차도 유지할 수 없다는 것을 알았던 겁니다. 그래서 경제적 평등과 분배를 위해서는 토지개혁이 먼저 이루어져야 한다고 주장하며 여전론(閭田論)을 제시하였습니다.

여전론은 정약용의 저서인 《여유당전서(與猶堂全書)》의 〈전론(田論)〉에 담겨 있는데, 공동 경작 · 공동 분배라는 이상주의적 농경제 형태라고 할 수 있습니다. 먼저 자연적인 지리와 경계를 고려하여 대략 30호(戶) 정도로 말단 행정 조직인 여(閭)를 만들고, 여의 경계 안에 있는 토지는 여민(閭民)이 공동으로 소유하는 것입니다. 여민은 가부장적 권위를 가진 지도자인 여장(閭長)의 지휘를 받아 이 토지를 공동으로 경작하고, 여장은 개개인의 노동량을 장부에 기록하였다가 가을에 수확한 생산물을 한곳에 모아놓고 기여한 노동량에 따라 분배하는 것입니다.

이렇게 전국에 여전제가 보급되면 전국 농민의 자산이 비슷해지고 토지의 독점을 막을 수 있으니 좋았고, 국가 재정도 증가할 뿐 아니라, 노동량에 따라 그 보수가 돌아가는 것이므로 백성들의 근로 의욕도 좋아질 것이라고 보았습니다.

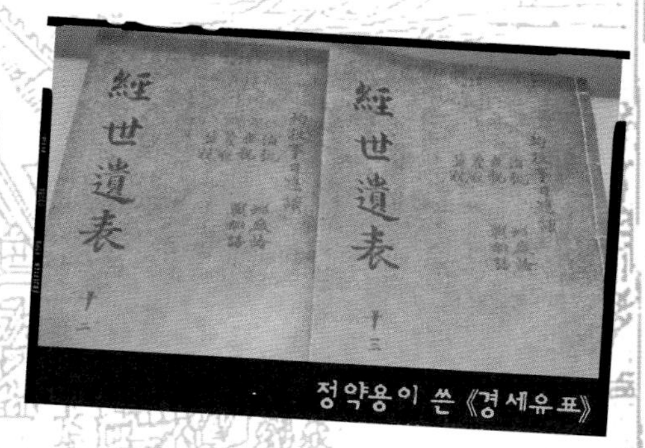

정약용이 쓴 《경세유표》

이 개혁론은 농사짓는 사람만이 토지를 얻게 하되, 봉건 지주층의 토지를 몰수하여 공동소유하며, 공동노동·공동경작·공동분배를 시도함으로써 당시 상당히 혁신적인 것이었지요. 하지만 지주층, 양반층의 반발이 극심했을 것은 불 보듯 뻔한 일입니다. 사대부라 하더라도 농업 개선에 기여한 경우에만 토지를 주고, 그렇지 않으면 농·공·상 등 생업에 종사시켜야 한다고 주장했었기 때문이죠. 그래서 정약용도 봉건 질서 속에서는 불가능하다는 것을 인정하고 새로이 정전론(井田論)으로 바꿔 주장하기도 하였습니다.

1817년 유배지 강진에서 《경세유표(經世遺表)》를 쓰면서 당시의 토지문제·농업문제·조세문제의 궁극적인 해결방안으로서 정전제를 제시하였던 겁니다. 토지는 국가가 소유하는 것을 원칙으로 하고 농민에게는 경작능력, 즉 가족 노동력을 기준으로 하여 경작권을 분배하도록 한 것입니다. 우물 '정(井)' 자로 9등분하여 8호의 농가가 각각 한 구역씩 경작하고, 가운데 있는 한 구역은 8호가 공동으로 경작하여 그 수확물을 국가에 조세로 바치는 토지제도였습니다.

그러나 이러한 개혁론은 당대 정치 현실에서 받아들여지지 못했습니다. 기득권층에게 불리한 토지 개혁론이었고, 당시 개혁론자들은 개혁의 실행 능력을 갖추지 못한 실학자였기 때문입니다. 토지 소유의 문제는 현대 사회에서도 빈부 격차가 커지는 가장 큰 요인 중에 하나로 손꼽힙니다. 약용의 주장은 이러한 문제의 특성을 중세봉건시대부터 알고 개혁론을 전개했다는 것에 의의를 두고 평가해야 할 것입니다.

제12장
목민관이 물러날 때
목민심서

도령은 매일같이 많은 서류 정리와
백성들을 만나는 일에 바빴어.

하루가 24시간인 게
부족할 정도였지.
휴대용 해시계

새벽 일찍 일어나
나보다 더
부지런하네.

저녁 늦게까지 공무를 수행하느라
숨 돌릴 틈도 없었어.

잠깐 보니 코피가
흐르는 게 아니겠어?

도령은 깜짝 놀랐지.

그때 약용이 들어오며
허허, 자네의 고생이 심하군.

그러나 마음은 행복하지 않은가?

자네의 부지런함이 백성들의 배부름으로 이어질 것이니
수령님 덕에 올해는 굶지 않겠다.

이는 큰 은혜를 베푸는 것이네. 잊지 말게나.
고맙습니다.
하며 약용은 도령을 이불에 눕혀 주었지.

약용은 누워 있는 도령을 대신해서 도령이 정리해야 할 서류들을 살피기 시작했어.

약용은 서류를 훑어보다가 화들짝 놀랐어.

임금의 친서로
김포의 수령을 교체하노라.

그동안 고생하셨수. 잘 가시오.
전임 수령은 교대준비를 하고 00년 00월 00일까지 새 수령을 맞이할 수 있도록 철저히 준비를 해놓고 떠나라.

아니, 아직 임기가 남았는데 왜 이런 일이 생긴 거지?

약용은 눈을 지그시 감고 잠시 생각에 잠겼어.
아~!

나 자신도 곡산부사로 부임해 있다가
곡산부사

간신들의 항소로 귀양을 가게 되었는데
내 뒤를 밟는단 말인가?

아직도 조정은 당쟁으로 백성 돌보기에 힘쓰지 않으니
내 밥그릇 이야.
내 건 너무 작아.

이 나라가 어디로 흘러갈 것이란 말인가?

약용의 큰 탄식에
도령은 눈을 떴어.
오호 통재라!

그러고는 약용이 들고 있던
종이 두루마리를 읽었지.

도령은 오히려
침착하게
말하기를
스승님께서
늘 그러셨잖아요.
수령은 여관살이
생활이라구요.

여관에 있다가
이제 집으로
돌아가게 되니
저는 즐겁습니다!

아침에 승진했다가
나도
정승이다.

저녁에 파면된다는 말도
있는데
꽝

저는
그보다는
나은 거죠.
그동안
해보고 싶은 거
많이 해봤습니다.

자네가
그리 생각하니
내 마음도
한결 좋네.

수령 중에 천박한 자는 관청을 자기 집으로 알고 오래 누리려고 생각하다가
수령
오래오래 해 먹어야지.

갑자기 교대 명령이 오면 놀라고 당황하여 슬픔을 이기지 못하는 자가 많다네.
으허헝!
퇴출

그 모습을 지켜보는 많은 아전들과 고을 사람들이 곁눈질로 비웃을 터이니
쇼를 해라, 쇼를….

자네는 그리하지 말게나.

관직을 잃고 민심까지 잃어서야 되겠나?
관직
민심

그나저나 날짜에 맞춰 떠나려면 장부 정리를 서둘러야겠네요.

지난 일 중에 빠뜨린 것은 없는지 마음이 바빠지는군요.

당황하는 마음을 접고 침착하게 냉정을 찾는 도령.

허허, 무슨 걱정이 있겠나?

자네는 관아를 여관으로 여겨서 매일 이른 아침에 떠날 것처럼 하여 그날 그날의 장부를 묶어 정리해 두지 않았나?

가을에 때가 되어 날아가는 새처럼 가볍게 떠날 준비를 하게.

공문이 왔으니
곧 떠나고 미련을 두지
말게나.
네, 그래야지요.
잘 될려나
모르겠습니다.

옛말에 수레를 타면 항상 쓰러지고 떨어질 것을 생각하여
처신하고
조심
조심….

배를 타면 항상 뒤집혀서 빠질 것을
생각하여 처신하며
태풍이
와도
끄떡없다.

벼슬을 하면 항상 불우해질 것을
생각하여 처신하라고 했는데요.
낙향해서
마음을
다스리자.

매우
절실한 말로
다가오네요.

약용은 씁쓸해 하는 도령을 남기고 자리를 떴어.

다음 날 아침부터

도령은 짐을 싸기
시작하는데 마땅히
꾸릴 짐은 없었어.

서울까지 갈 여행경비를 상자에
넣어두고

집 식구들에게는 어떠한 물건도
싸지 말라고 명령을 했어.

돌아가는 짐이 너무 많다면 그것도
백성들에게 부끄러운 일이라고
생각했지.
많이도
싸간다.

도령은 이날부터 언제나 출발할 수 있게
행장을 꾸렸지.

작은 상자 한 개를 마련하여
매일 아침 일어나면 자리를
걷고

식사가 끝나면 밥 그릇을 씻고
수저를 챙겨 그 상자 안에
담아 두었어.

마치 내일 떠나가는 사람처럼 조금도
소홀함이 없었어.
언제라도 떠날 준비를 완벽히 완료.

도령은 문서를 정리하려고 문서창고에 들어가 보았어. 월별로
장부를 마감해 두었기 때문에 특별하게 더 만들어야 할 것은
없었지.

하지만 혹시라도 미진한 부분이
있는지 다시 한번 읽어보고

뒤섞인 것이 있는지
살폈어.

다 살펴본 장부는 다시 마감하여 묶어
두었지. 이렇게 하는 게 몇 시간밖에
걸리지 않았어.

스승님께서 수령을 여관살이처럼 하라 했는데 그리하니 이렇게 서류 정리도 금방이구나.

미리미리 마감해 둔 게 백 번 잘한 일이야, 허허.

자네의 일이 많겠구먼.

일의 시작이 중요하듯 끝맺음도
아주 중요하다네.
내가 매번 보건데

원하지 않는 해임으로 길을 떠나는
수령을 보면 머리를 떨어뜨리고
기운을 잃어서
마치 꼭두각시같이
슬픔에 잠겨 있더군.
허이구~!

그러면서도 출발 준비와 여행 장비를 차리는 데는
부산스럽고 요란스러워서 온갖 일을 다 어질러 놓고
떠난다네.
완전
난장판을
만들고
갔네.
관리
민생
세금

내 말이
뭔 뜻인지
알지?

그럼요.
저도 그런
볼썽사나운 짓은
안 하고 싶어요.

백성들에게 부끄러운 짓을 해서
손가락질 당하는 건 정말 싫어요.
또 제가 그렇게 한다면 신관이 부임한 후
백성들이 가서
흉하다고 일러바칠 게
아니겠어요?

그 치욕을 어떻게
씻습니까?
차마 그런 짓은
안 할 겁니다.
떠나는 것도
서러운데
백성들이
손가락질까지….
정말 서럽다.

그렇고 말고. 자네가 이제 나보다
더 목민관다워졌군, 허허.
기쁜 일이로세.

예전에 보면 탐욕스럽고 미련한 수령은 해임이 결정된 후 관아 창고에 있는 재물을 즐겨 쓰기도 하고

신관 수령이 지출할 봉급을 마음대로 당겨 쓰는 무리가 있더군.
가불

신관이 부임한 후 적발되어 위로는 임금께 죄를 짓기도 하고 아래로는 백성들에게 원한을 맺게 되는 것이니
나쁜..
고얀.

뭐하러 그런 재물을 탐하겠느냐? 마지막까지 추해지지 말게나.
재물
오빠!
유혹하지 마라!

허허. 자네가 이렇게 잘하는데도 내가 노파심에 잔소리가 길었네그려.

도령은 약용의 말 한마디를 새겨들으며 절대로 재물에 욕심을 부리지 않으리라 다짐했어.

참 쇄마전(말을 이용할 교통비)을 부임할 때는 주셨는데 해임할 때도 주시나요?

어허, 맞다. 내 잊어버릴 뻔 했네. 구관이 서울로 돌아갈 때는 쇄마전을 주지 않는다네.

봉급으로 그 정도는 장만할 수 있다고 생각하시는 거지.
월급에서 차비까지 쓰라고?

그런데 요즘에 그 쇄마전을 백성들에게 강제로 징수하는데, 많은 경우 4, 5백 냥에 이르지.
도둑놈.
막가는 거지.
갈취

잘못된 관례를 당연히 여기지 말게나. 부임 기간 동안 맑고 청렴하게 잘 했으나
관례

돌아 갈 여행길을 생각하여 백성들에게 가혹하게 하는 것은 원치 않겠지?

그렇군요.
단연코
백성들에게
징수하면
안 되지요.

저는 식구도 별반 없고 짐도 없으니 쇄마전이라 해서 많이 필요하지도 않습니다.

초상이 나도 백성들에게 부의금을 받아서는 안 된다고 하셨는데

어찌 사사로이 교통비를 받겠습니까?
교통비

백성들에게 돈을 구걸한다면 수령의 지위를 빙자하여 이익을 꾀하는 것인데
뭘 또 내놓으라는 거유.

차마, 그렇게는 하지 못하겠습니다.

그럼 그럼, 알지.
뜻밖에 벼슬자리가 갈려서 자네의 마음이 더 무거울 것 같네.

자네의 그 마음을 백성들이 다 알고 있다는 걸 염두에 두게나.
훌륭하신 사또님.

자네의 맑고 곧은 행동은 모든 고을의 모범이 될 만하니
모 범

그 명예에 조금의 누가 되지 않도록 마지막까지 우리 잘 해보자고.
도령은 기운을 차리고 약용과 약속을 했어.

다음 날 아침 관아가 시끄러워 도령은 눈을 떴어.
시끌..
시끌.

무슨 일인가 보니 관아 밖에 마을의 노인들이 모두 모여 있는 게 아니겠어?

도령이 친히 문밖으로 나가 무슨 일로 왔나 물어보니

사또께서 부임한 이래 개가 밤에 짖지 않고

백성들이 아전의 얼굴을 알지 못했습니다.
아전들이 와서 안 뜯어 가니 살기 편하구나.

얼마 안 되어 이렇게 훌쩍 떠나신다니, 보내 드릴 수가 없습니다.

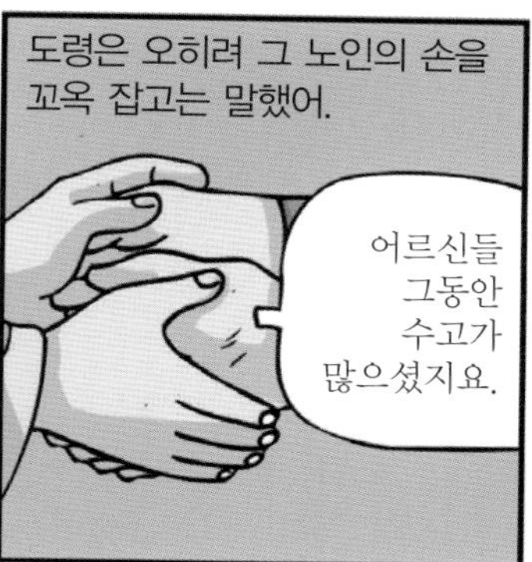
도령은 오히려 그 노인의 손을 꼬옥 잡고는 말했어.
어르신들 그동안 수고가 많으셨지요.

관청으로 모여든 노인들은 눈물을 흘리며 헌 보자기에 싸여 있는 것을 하나씩 꺼내 놓는 거야.

도령은 무엇인지 궁금히 보다가 노인들이 준비한 게 돈 뭉치임을 확인했어.

이런 많은 액수의 것은 저를 부끄럽게 만듭니다.

저를 한번 봐주신다고 생각하시고 이것을 도로 가져가 주세요.

그 모습은 노인의 성의를 무시하는 것 같지만

관리된 자의 도리인 거지. 아무리 작은 돈이라도 백성들의 것을 갖지 않으며
관리
청렴

아무리 작은 물건이라도 부임지의 생산물을 거두어가는 게 아니래. 그러기에 목민관이 어려운 것이지.

김포로 부임해 올 때의 짐에서 한 개도 늘은 바 없이 그대로 싣고 가는 모양이었지.

이 강아지는 이 땅에서
낳은 것이니 내 것이 아니네.
이 땅에 돌려 주게나.
하며 짐에서
꺼내는 거야.

그 모습을 보고 사람들은
존경하는 마음이 절로 생겼지.
아~ 정말
훌륭하신 분이다.

도령은 마차를 장만할
돈이 없어 나귀를 타고
출발해야 했어.

짐수레 하나에 이불가지와 책들을 싣고
서울로 가는 길을 내딛었어.
도령을 전송하는 많은 사람들은
울며 말했어.
하늘이시여,
우리 수령님이
무슨 죄가
있습니까?
앞으로
우리는 어찌
살아갑니까?
우리를 버리고
어디로
가십니까?
제가 죽으러
가는 것도 아닌데
다들 고정하세요.
다음에 올 수령은
더욱 훌륭한
분이실 테니
걱정 말고 본업에
충실하세요.
살다보면 다음에 한번 또 들르게 되겠지요.
그때 가서 맛있는 거 하나만 장만해 주세요.
그럼 그때까지 건강하게 계세요.
이렇게 차분히 인사를 하자,
마을 사람들의 아쉬움이 더욱
깊어졌어.

어떤가?
많이 아쉬운가?

그래도
마지막까지
자네의
모습이
아름
다웠네.

이렇게
임기가 짧을 줄
알았으면
서둘러 일들을
추진할 걸
그랬어요.
한두 해 만에
마을을
정비하는 것은
불가능한데….

시간을
잘 쓰지 못한 것 같아
아쉽네요.

하지만 떠날 때 백성들의 전송을 받으니
제가 잘하기는 잘한 건가 봐요.
흐뭇합니다.

도령은 말은 그렇게 해도
임기를 다 채우지 못하고
해임된 게 못내 서운했지.

조선 후기에는 이렇게 수령이
능력이 있어도 임금이 바뀌고
어떤 붕당이 정권을 쥐느냐에
따라서
당파싸움

인재들의 운명이 좌우되기도
했단다.
꺼져!

그 시대의 불행이었지.

어떤 수령들은 자신의 청렴함과
부지런함을 더럽히지 않으려고

부정한 물건을 조사하여 물가에 집어
던지거나 부셔 버리기도 하는데
그것은 옳지 못한 것 같네.
부
정

어떤 사람은 물건들을
불태우기도 하며 자신의
청렴함을 남들에게
알리려고도 하지.
뇌물

가난한 백성들의 집에 밥그릇이 비어 있는 것을 안다면
재물을 허비하고 백성들에게 나누어 주지 않는 것은 죄라고 할 수 있지.
차라리 우리한테 나눠 주지.
뇌물

또한 이롭지 못한 재물을 거두어들여 자손에게 나누어 주려는 자도 있는데

이러한 욕심이 있다 보면 더 모으려는 욕심이 생기게 되고
저 집도 탐난다.

그러다 보면 부정한 일을 저지르게 되는 것이네.
훔쳐 먹는 게 맛있어.
아그작…
아그작…

덕을 쌓고 절약을 하여 벼슬살이를 오래하게 되면 저절로 부유해지는 법이네.
먹어야만 꼭 배가 부른 것은 아니니라.
덕
선
마음
자비
지식

백성들의 원한을 모아 부자가 되겠는가?
쯧쯧….

절약과 청렴으로 살 만한 생활을 누리겠는가?
맑은 공기만 마셔도 삶이 평화로운걸, 허허.

도령은 약용의 말에 고개를 끄덕이면서 관리가 된다는 것은 고통과 삼감(조심함)이 동반되는 것이라고 생각했어.

또 약용은, 옛날 중국에서는 백성들이 임금께 달려가

예전 수령을 다시 부임해 달라고 빌면 그대로 허락해 주기도 했다네.

이 얼마나 아름다운 일인가?
나으리!
고맙네.

임금의 정치도 백성들의 뜻을 따라 하면 선해지고
백성들을 부유하게 할 수 있다는 것이지.
백성이
있어야
나라도 있고
임금도
있는 법.

그런 수령은 백성의 마음을 얻었으니
그 무엇하고도 바꿀 수 없는 영광이지.
나보다
좋단
말야?
금

하지만 어떤 악한 수령은 백성을 시켜 임금께
자신이 수령이 되도록 빌게 하기도 했다네.
저…
저 인간이….

이 얼마나 망신스러운가!
내가
뭘….
끙!

어진 수령에 대한 평가는
백성들이 스스로 할 수
있다네.

자네도 늘 잊지 말게나.
백성을 믿고 도와주면
그 혜택은 자신에게로
온다는 것을.

네,
스승님.

도령은 김포에서 수령을 맡는 동안 한 일, 생각한 일을
다시 회상하며 서울로 돌아가는 길을 재촉했어.

이렇게 《목민심서》는
우리가 살아가는 데
필요한 마음가짐과 지혜를
담고 있단다.

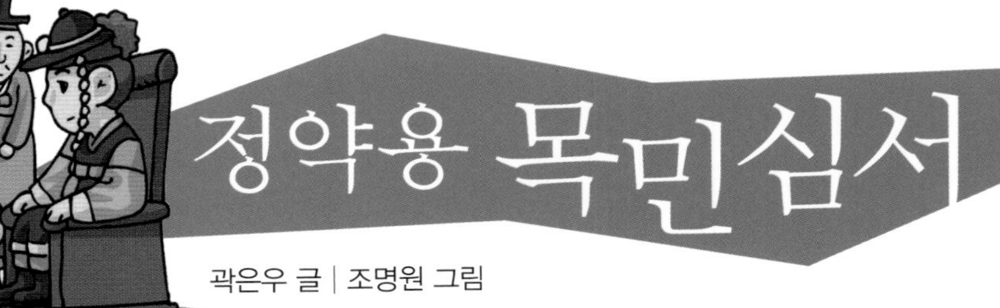

정약용 목민심서

곽은우 글 | 조명원 그림

01 조선시대 유학자로서, 목민관들이 가슴에 새겨야 하는 덕목과 할 일을 기록한 《목민심서》를 쓴 사람은 누구일까요?

① 김한기 ② 이이 ③ 이익
④ 정약용 ⑤ 홍대용

02 조선시대 백성들의 생활은 임진왜란과 병자호란을 겪은 후 더욱 궁핍해졌습니다. 이런 상황에서 실생활의 개선과 실용적 학문 분야에 대한 관심이 필요하다는 생각을 가진 학자들이 등장하기 시작하는데, 이들의 학문적 경향을 묶어 무엇이라고 할까요?

① 실학 ② 성리학 ③ 주자학
④ 양명학 ⑤ 고증학

03 정약용이 저술한 책이 아닌 것은 무엇일까요?

① 《삼미집》 ② 《경세유표》 ③ 《마과회통》
④ 《북학의》 ⑤ 《흠흠심서》

04 국가의 명령에 의해 목민관으로 부임할 때 국가가 관리에게 지급했던 교통 경비를 무엇이라고 하나요?

① 마패 ② 호패 ③ 쇄마전
④ 상평통보 ⑤ 호적

05 《목민심서》는 목민관이 부임하고 퇴임하는 과정을 16책 48권으로 구분하여 목민관의 도리를 저술했습니다. 그렇다면 《목민심서》의 맨 마지막 편 제목은 무엇일까요?

① 부임(赴任) ② 율기(律己) ③ 봉공(奉公)
④ 이전(吏典) ⑤ 해관(解官)

06 정약용을 총애했던 왕으로, 조선의 문예 부흥을 이끌며 능력 위주의 관리 선발 정책을 펼쳤던 이 임금은 누구일까요?

① 숙종 ② 성종 ③ 영조 ④ 정조 ⑤ 인조

07 《목민심서》에서 강조한 목민관의 윤리는 조선 후기의 시대상과 매우 밀접한 관련을 가지고 있습니다. 당시 관리들의 부정으로 세금 제도 문제가 제일 컸는데, 이를 무엇이라고 부를까요?

① 삼정의 문란 ② 세도 정치 ③ 신분제의 붕괴
④ 수렴청정 ⑤ 재가의 금지

08 《목민심서》에서 정약용은 당시 관리들의 부정부패 중 특히 이 집단의 부정을 비판하고 있습니다. 백성들과 가장 가까운 곳에서 탐학과 횡포를 저질러 사회적 물의를 일으킨 이들은 누구일까요?

① 왕 ② 의금부 ③ 사간원
④ 현령 ⑤ 향리

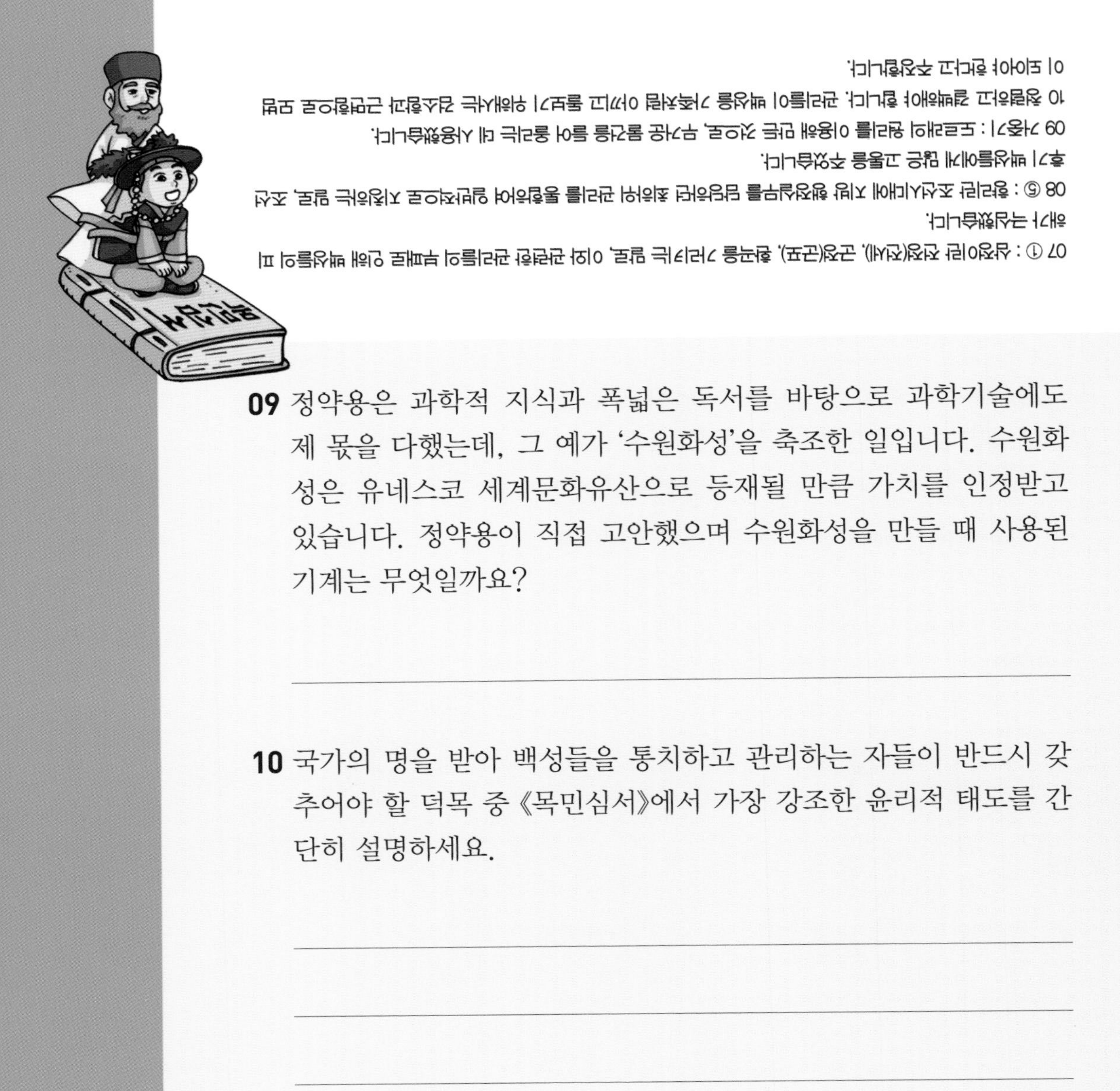

07 ① : 삼정이란 전정(전세), 군정(군포), 환곡을 가리키는 말로, 이와 관련한 관리들의 부패로 인해 백성들의 피해가 극심했습니다.

08 ⑤ : 향리란 조선시대에 지방 행정실무를 담당하던 최하위 관리를 통합하여 일반적으로 지칭하는 말로, 조선 후기 백성들에게 많은 고통을 주었습니다.

09 거중기 : 도르래의 원리를 이용해 만든 것으로, 무거운 물건을 들어 올리는 데 사용했습니다.

10 청렴하고 결백해야 합니다. 관리들이 백성을 가족처럼 아끼고 돌보기 위해서는 검소함과 근면함으로 모범이 되어야 한다고 주장합니다.

09 정약용은 과학적 지식과 폭넓은 독서를 바탕으로 과학기술에도 제 몫을 다했는데, 그 예가 '수원화성'을 축조한 일입니다. 수원화성은 유네스코 세계문화유산으로 등재될 만큼 가치를 인정받고 있습니다. 정약용이 직접 고안했으며 수원화성을 만들 때 사용된 기계는 무엇일까요?

10 국가의 명을 받아 백성들을 통치하고 관리하는 자들이 반드시 갖추어야 할 덕목 중 《목민심서》에서 가장 강조한 윤리적 태도를 간단히 설명하세요.

기나긴 유배 생활에도 굴하지 않은 정약용

정조는 정약용이 성균관 학생일 때부터 그를 소중히 여겼습니다. 정약용은 그런 정조의 기대를 저버리지 않고, 과거에 급제하여 자신의 재주를 유감없이 발휘했습니다. 수원에 아름답고 독창적인 건축물인 화성을 만든 게 대표적이지요.

하지만 정약용은 자신의 뜻을 계속 펼칠 수 없었습니다. 천주교 신자로 지목되어 유배를 당했고, 정조마저 급작스럽게 세상을 떠나며 조정의 중심에서 배척되고 말았지요. 그리고 강진에서 기나긴 유배 생활을 해야 했습니다.

강진에 도착해서 처음 머무른 곳은 사의재라는 주막에 딸린 작은 방이었습니다. 누추한 곳에 머물게 되었지만 정약용은 자신의 신세를 한탄하거나 슬퍼하지만은 않았습니다. 그곳에서 예학 연구를 시작했고, 이후 제자와 동료들의 집을 전전하면서도 연구에 전념했습니다. 그러다가 1808년 귤동의 다산초당에 자리 잡으면서 본격적으로 책을 집필하기 시작했지요. 정약용은 유배 생활이 주는 고난에도 굴하지 않고 많은 책을 썼습니다. 백성들이 잘살고, 나라가 부강해지는 법을 알려 주는 《경세유표》, 《목민심서》가 이때 나왔지요. 유배를 간 지 18년 만에야 정약용은 귀양살이에서 풀려났습니다. 그 후에도 정약용은 고향으로 돌아가 말년까지 책을 썼습니다.

약 500권이 넘는 정약용의 저서는 현재를 살아가는 우리에게도 큰 선물입니다.

통합교과학습의 기본은 세계사의 이해,

세계대역사 50사건

제대로 알차게 만든 교양 세계사 만화!

우리 집 최고의 종합 인문 교양서!

★서양사와 동양사를 21세기의 균형적 시각에서 다룬 최초의 역사 만화
★세계사의 핵심사건과 대표적 인물을 함께 소개해 세계사의 맥락을 짚어 주는 책
★시시각각 이슈가 되는 세계사 정보를 지식이 되게 하는 재미있는 대중 교양서

1. 파라오와 이집트
2. 마야와 잉카 문명
3. 춘추 전국 시대와 제자백가
4. 로마의 탄생과 포에니 전쟁
5.석가모니와 불교의 발전
6. 그리스 철학의 황금시대
7. 페르시아 전쟁과 그리스의 번영
8. 알렉산드로스 대왕과 헬레니즘
9. 실크 로드와 동서 문명의 교류
10. 진시황제와 중국 통일
11. 카이사르와 로마 제국
12. 로마 제국의 황제들
13. 예수와 기독교의 시작
14. 무함마드와 이슬람 제국
15. 십자군 전쟁
16. 칭기즈 칸과 몽골 제국
17. 르네상스와 휴머니즘
18. 잔 다르크와 백년전쟁
19. 루터와 종교개혁
20. 코페르니쿠스와 과학 혁명
21. 동인도회사와 유럽 제국주의
22. 루이 14세와 절대왕정
23. 청교도 혁명과 명예혁명
24. 미국의 독립전쟁
25. 산업 혁명과 유럽의 근대화
26. 프랑스 대혁명
27. 나폴레옹과 프랑스 제1제정
28. 라틴 아메리카의 독립과 민주화
29. 빅토리아 여왕과 대영제국
30. 마르크스_레닌주의
31. 태평천국운동과 신해혁명
32. 비스마르크와 독일 제국의 흥망성쇠
33. 메이지 유신 일본의 근대화
34. 올림픽의 어제와 오늘
35. 양자역학과 현대과학
36. 아인슈타인과 상대성 원리
37. 간디와 사티아그라하
38. 마오쩌둥과 중국 공산당
39. 대공황 이후 세계 자본주의의 발전
40. 제2차 세계 대전
41. 태평양 전쟁과 경제대국 일본
42. 호찌민과 베트남 전쟁
43. 팔레스타인과 이스라엘의 분쟁
44. 넬슨 만델라와 인권운동
45. 카스트로와 쿠바 혁명
46.아프리카의 독립과 민주화
47. 스푸트니크호와 우주 개발
48. 독일 통일과 소련의 붕괴
49. 유럽 통합의 역사와 미래
50. 신흥대국 중국과 동북공정
★가이드북

김창회 외 글 | 진선규 외 그림 | 232쪽 내외